B.S. Armed

KU-609-043

Über dieses Buch Eine Tochter erinnert sich an ihren längst verstorbenen Vater. Wie Teile eines Puzzles fügen sich die Erfahrungen mit dem übermächtigen, fremd gebliebenen Vater zu einem Bild zusammen. Mit ihm, dem sie nur selten begegnete, an den es nur wenige Annäherungen gab, hält sie nun – Jahre nach seinem Tod – Zwiesprache. Was waren die Beweggründe für sein Handeln, wie hat er gedacht, was sich erträumt? Sie erkennt, daß er aus seinem Milieu hatte ausbrechen, es hatte weiterbringen wollen als seine Eltern, doch daß es ihm nicht gelang, dem »Hexenring« zu entrinnen: Sein Vater zwang ihn in einen ungeliebten Beruf. Sie erinnert sich an ihren Bruder, der einer ebenso gnadenlosen Erziehung unterworfen wurde wie einst der Vater. Sie erlebt ihre Jugend noch einmal nach, denkt an ihren Kummer, als sie gegen ihren Willen von der Schule genommen und in eine Lehre gesteckt wird – auch sie im »Hexenring« gefangen. Aus Bruchstücken der Erinnerung entdeckt die Tochter schließlich den fremden, oft furchteinflößenden Vater für sich neu, versteht ihn besser und auch sich selbst.

Die Autorin Marliese Fuhrmann, geboren 1934 in Kaiserslautern, lebt in der Pfalz. Ihr Buch »Zeit der Brennessel« erschien 1981 (Fischer Taschenbuch, Band 3777). Dafür erhielt sie den Förderpreis für Literatur des Bezirksverbandes Pfalz. Sie stellte zum Buch »Fliegende Hitze, Frauen durchleben Wechseljahre« (Fischer Taschenbuch, Band 3703) die Texte zusammen und schrieb das Nachwort. »Hexenringe« ist ihr zweiter Erzählband.

Marliese Fuhrmann

Hexenringe

Dialog mit dem Vater

Fischer Taschenbuch Verlag

Lektorat: Ingeborg Mues

Originalausgabe
Veröffentlicht im Fischer Taschenbuch Verlag GmbH,
Frankfurt am Main, Juli 1987

© 1987 Fischer Taschenbuch Verlag GmbH, Frankfurt am Main
Umschlaggestaltung: Susanne Berner
Gesamtherstellung: Clausen & Bosse, Leck
Printed in Germany
980-ISBN-3-596-23790-4

»Wir sind es nicht, doch wir werden es sein, wir
haben es nicht, doch wir werden es haben, das war
unsere Formel. Die Zukunft? Das ist das gründlich
andere. Alles zu seiner Zeit. Die Zukunft, die
Schönheit und die Vollkommenheit, die sparen
wir uns auf, eine Belohnung eines Tages für uner-
müdlichen Fleiß.«
                                        Christa Wolf

Der Dreiundzwanzigste war ein heller Tag im September, sonnig und still. Ich hatte die Sonnenbrille aufgesetzt. Ein paar Leute standen verlegen vor der Leichenhalle. Hermann K. war tot. Die Trauergäste lasen aus Langeweile immer wieder die Schilder an den vierrädrigen Karren, die mit Kränzen und Blumen beladen vor der Halle standen.

Hermann K., 57 Jahre, war mit Kreide auf eine der Tafeln geschrieben und schon leicht verwischt. Die Frau, die als letzte zur Friedhofskapelle kam, hatte Hermann K. im Februar vor einunddreißig Jahren geheiratet. Sie hatte für alle Anlässe Sprüche parat. Einen wichtigen hatte ich behalten: Dem Glücklichen regnet's ins Grab; dem Unglücklichen an seinem Hochzeitstag.

Und ich stand da und hatte immer noch die dunkle Brille auf der Nase. Wegen der tiefstehenden Sonne, sagte ich. Aber die Brille nützte nichts. Die Sonne schien ganz verschwommen.

Danach wurde zum Leichenimbs* geladen. Das läßt man sich doch nicht nachsagen, die Angehörigen ohne ein anständiges Leichenimbs nach Hause gehen zu lassen. Das hieße ja, den Leuten die Mäuler aufreißen. Die Person, wegen der die Verwandtschaft früher nicht ins Haus kam, nicht kommen durfte, war tot. Hermann K. war tot, unter den Boden gebracht. Und nun konnte das Leichenimbs beginnen. Er störte nicht mehr.

Mit dem konnte man sich doch nicht sehen lassen. Nirgends war er gut angeschrieben. Bei niemandem hatte er ein Numero.** Er hatte überhaupt kein Numero.

Verwirrt schaute ich in die Runde. Sie waren alle gekommen. Der Geschäftsmann saß da mit seiner jungen Frau. Die behäbige Bäuerin dicht neben dem spitznasigen Bruder. Keiner hatte abgelehnt. Ich stellte mir vor, wie sich Hermann K. unter diesen Leuten gefühlt hätte.

* Leichenschmaus
** Ansehen

Sein Tod war plötzlich gekommen. Wo er doch schon so lange krank gewesen war. Einige sagten, zu früh, und blickten vielsagend ihren Nachbarn über den Tisch hinweg an. Es gab auch Stimmen, die man nicht hören konnte, die aber trotzdem da waren, und die sagten, endlich. Und ich hörte das erleichterte Aufatmen.

Als ich drei Tage zuvor zu Hermanns Schwester gegangen war und ihr den Tod ihres Bruders mitgeteilt hatte, mußte ich aufpassen, daß ich nicht auf eine der heruntergefallenen Birnen trat, die aufgeplatzt auf den Steinplatten lagen.

Nun ist unser Jüngster zuerst gestorben, klagte sie, und ihr Gesicht sah aus, als sei sie seine Mutter gewesen. Sie war die Älteste von den Geschwistern und hatte mitgeholfen, die Kleinen großzuziehen.

Der Kleinste bleibt immer der Kleine, da kann er so alt werden, wie er will, sagte die alte Frau und schaute mich über die Brillengläser hinweg an.

Zur Beerdigung kann ich nicht mitkommen. Weißt ja, meine Beine! Meine Beine werden immer schlimmer, jammerte sie, das Gehen fällt mir schwer. Ich werde zu Hause an Hermann denken.

Beim Leichenimbs saß sie dann neben mir am Tisch. Sie zog mich zur Seite und flüsterte, als du geheiratet hattest und weggefahren warst, kam dein Vater zu mir und weinte. Er wollte kein Großvater werden, erst siebenundvierzig und schon Großvater.

Aber das war es nicht. Ich ahnte es längst. Seit dieser Heirat ging es mit ihm abwärts. Unaufhaltsam. Hermann K. begann, sich zu verweigern. Ich weiß, er kannte dieses Wort nicht, aber es trifft zu. Er gehörte einer Generation an, bei der nicht die Worte im Vordergrund standen. Er weigerte sich, weiterzuleben.

Der Pfarrer, bei dem ich Vaters Beerdigungspredigt bestellte, fragte mich, welchen Bibelspruch ich ausgesucht habe. Wer unter euch ohne Sünde ist, der werfe den ersten Stein auf ihn, antwortete ich.

Das geht nicht, sagte der Pfarrer entsetzt, hob beide Hände, wich einen Schritt zurück, als fürchte er sich. Diesen Spruch können Sie nicht nehmen. Man nimmt ihn nur bei Selbstmördern, wehrte er ab.

Damals fühlte ich nur, heute weiß ich, es wäre der richtige Spruch für seine Trauerfeier gewesen. Unbewußt hatte ich Partei für Vater ergriffen. Hatte mich, ohne lange nachzudenken, auf Vaters Seite geschlagen.

Etwas über Vater gewahr werden wollen, ihm nachdenken, diese Sucht, ihn zu suchen, befiel mich im vergangenen Herbst.

Sie hatten Vaters Grab aufgerissen, zwei Meter Erde über ihm weggeschaufelt, als sie Mutters toten Leib hinuntersenkten. Ich hatte Mutters Tod noch nicht begriffen. In dem Augenblick glaubte ich, ich könnte Vater wiedersehen. Wenn er jetzt noch einmal herauskommen und alles betrachten könnte; Vorwürfe, die ich ihm gemacht habe, erwidern; Fragen, die ich unablässig stelle, beantworten. Aber sie haben den anderen Sarg auf ihn gestellt. Er konnte sich nicht dagegen wehren.

Unzählige Bilder sind in meinem Kopf gestapelt; wenn ich die Augen davor verschließe, um sie zu vergessen, werden sie deutlicher. Ich will eins nach dem anderen betrachten: Das Foto vor der Hochzeit, da war Vater fünfundzwanzig. Vielleicht mußte er lange warten, bis der Fotograf den Auslöser drückte. Vater hält die Stirn gesenkt, guckt von unten heraus, die schmalen Lippen fest aufeinandergepreßt. Es ist zu vermuten, daß er den Fotografen gleich nach der Aufnahme angesprungen hat. Nur mit Mühe konnte Vater Zorn unterdrücken.

Es fällt mir schwer, ihn Vater zu nennen; dieses Vertrauen einflößende Wort Vater. So habe ich ihn niemals genannt. Wenn er in die Nähe kam, wurde mir unheimlich: Er war zu stark, roch nach Tabak, Schweiß und Leder, hatte die Hemdsärmel hochgekrempelt, daß ich die behaarten Unterarme, Muskeln, Sehnen und die Narben sah. Er klopfte mit dem Finger energisch auf die Tischkante, befahl Ruhe. Seine grauen, sehr kalten Augen sahen von mir zum nächsten. Es war Ruhe. Er benahm sich wie ein Herrscher, ermahnte seine Frau, das Essen nicht so heiß und so hastig hinunterzuschlingen. Die Kinder mußten geradesitzen, das Besteck ordentlich in die Hand nehmen, durften vor allem von dem, was er am liebsten aß, nicht zu viel nehmen. Ihm stand das größte und magerste Stück Fleisch zu; darüber gab es keinen Streit, es wurde bereitgelegt. Er spießte ein Brotstück mit dem Messer auf und wischte den Teller sauber. Vater war der einzige, der am Tisch reden und nach dem Essen rülpsen durfte.

1908 noch im Kaiserreich geboren, gab er sich als Patriarch. Er ließ sich die Stiefel ausziehen, die Hausschuhe bringen, Bier holen, Zeitungen und Bücher nachtragen, seine Wäsche aus dem Schrank legen.

Er hatte eine Vorliebe für Menschen, die fremde Länder erkundet und urbar gemacht hatten, und für Dombaumeister, die hinter ihren Werken verschwunden waren. Zeppelin und Charles Lindbergh bedeuteten ihm viel. Am meisten schwärmte er aber von alten Brückenbauern. Sie hatten Hände wie Baggerschaufeln und fingen mit ihren breiten Rücken zusammenstürzende Brücken auf. Vor meinen Augen wuchsen Riesen aus der Erde.

Vater lebte in der Umgebung von hünenhaften Mannsbildern, die nur durch die Unachtsamkeit anderer zerschmettert worden waren, und er wartete, daß man ihn an ihre Stelle rief. Hermann hat Kraft wie ein Stier, er muß her! Das wollte er hören. Strebepfeiler, gewaltige Stahlkonstruktionen, mächtige Portale, behauene Steinquader imponierten ihm. Danach kam er selbst.

Er hatte einen wiegenden, breitbeinigen Gang, beinahe wie ein Matrose. Die Schultern nach außen, den Kopf ins Genick gedrückt, bemühte er sich, sich gerade zu halten; er wollte, wie alle kleinen Männer, größer erscheinen.

Als ich Geschichte lernte, stellte ich mir Herakles wie meinen Vater vor. Herakles glich Vater, als er Prometheus befreite, Hydra besiegte und den Stall des Augias ausmistete. Kein Wunder, daß auch Atlas, der den Himmel stützte, meinem Vater ähnlich sah. Vater bestärkte diese Vorstellung, wenn er vorgab, keiner noch so schweren Arbeit aus dem Weg zu gehen.

Ich fragte meine Brüder, wie sie ihren Vater erlebt hatten. Ich lernte keinen fröhlichen Vater kennen, sagte der jüngere, keinen, der mit seinen Kindern in den Wald ging, keinen, der ihnen Geschichten erzählte oder auf sie einging. Das Kapitel Vater ist für mich längst abgeschlossen.

Vielleicht hatte er Angst vor seinen Gefühlen, fürchtete, daß Mitleid, Verständnis, Liebe, aber auch Haß und Enttäuschung, daß all das, was sich in ihm angestaut und er seinem Vater nachgetragen hatte, aus ihm herausbrechen und ihm vor die Füße fallen könnte. Wenn am Abend der Motor seines kleinen Lieferwagens vor dem Haus zu hören war, stürzten wir Kinder aus der Küche hinauf in die ungeheizte Stube unterm Dach. Wir fürchteten uns vor unserem Vater. Hast du das vergessen?

Nein, ich will nichts unterschlagen. Manchmal hatte ich wahnsinnige Angst vor ihm, verkroch mich unter den Tisch, verließ fluchtartig den Raum, wenn er reinkam, und schloß mich ein. Ein lieblos aufgetischtes Abendessen, ein abgerissener Knopf, ein vorlautes Wort waren Anlässe zu Ausbrüchen.

Mir fällt der Tag ein, als Vater in einem Rausch nach Hause kam, damals, als ich mich unsichtbar machen wollte, mich in die Spalte zwischen Schrank und Wand hineinzwängte. Und ich erinnere mich an den nächsten Tag, als wieder alles in Ordnung zu sein schien; ich hatte meine Hausaufgaben gemacht und Vater schrie nicht, als er heimkam.

Es genügte, wenn im Gespräch der Name eines Mannes fiel, der versucht hatte, Vater bei der Arbeitsvergabe zu übergehen. Schon blies Vater die Backen auf und drohte dem Kerl, der ihn hintergangen hatte: Den werde ich erledigen! Wenn dieser Halsabschneider glaubt, daß er mich aufs Kreuz legen kann, wird er mich kennenlernen. Ich werde ihm zeigen, wo Barthel den Most holt! Der kann von Glück sagen, daß ich ihn nicht gleich an der Krawatte gepackt habe.

Arbeit war wichtig. Ohne Arbeit fühlte er sich unvollkommen und kam sich überflüssig vor. Die Kraft, die er täglich für die Arbeit aufbringen mußte, verstärkte seinen Jähzorn. Sobald er tobte, war er in seinem Element und glaubte an seine Macht. Ohne Zorn war Vater unbeholfen und fühlte sich unterlegen. Er versuchte, seine Schwäche zu überspielen wie ein Patient, der seine Krankheit dem Arzt verheimlichen will, um aus dem Krankenhaus herauszukommen.

Eines Tages befahl Vater seinen erwachsenen Söhnen, die Jacke seines Hochzeitsanzuges anzuziehen, damit sie einmal ermessen könnten, welch stattliche Figur er in ihrem Alter gehabt hatte. Keinem der Söhne paßte die Jacke; sie war ihnen zu eng, spannte über der Schulter, klaffte vorn auseinander, und die Ärmel hörten knapp über dem Ellenbogen auf. Die Söhne überragten ihren Vater um Haupteslänge.

Wäre ich ein Sohn gewesen, ich hätte niemals seine übersteigerte Herrschsucht und gleichzeitig seine Not erkannt. Vater hätte mich unterjocht. Ich kann von Glück sagen, daß ich seine Tochter war. So war es leichter, ihn unter seiner Tarnung ausfindig zu machen. Als ich sechzehn, siebzehn Jahre alt geworden war, entdeckte Vater, daß neben seinen beiden Söhnen ein Mädchen stand.

Er nahm mich mit in Lokale, wollte mir Tänze seiner Jugend beibringen, gab der Kapelle fünf Mark; sie spielte Tango, Charleston und Jimmy für ihn. Vater hatte seine Füße in Lackschuhe gezwängt, aus einer Schublade weiße Knöpfgamaschen gekramt und führte mich nach der Mode der zwanziger Jahre zum Tanz.

Damals hatte er seine große Zeit erlebt. Ich spürte es an seiner Begeisterung für die alten Schlager. Er brummte die Melodien, sang die Zeile eines Liedes mit, wollte sich zurückversetzen in jene Tage und gab sich alle Mühe, geschmeidig und leichtfüßig zu tanzen. Er drehte den Hals, ruckte mit dem Kopf, sprang in die Passage, überquerte in langen Schritten die Tanzfläche, als laufe er durch die Werkstatt. Wenn ihn der Charleston-Takt packte, knickte er die Beine, warf sie nach hinten, tanzte und stampfte, bis er keine Luft mehr hatte. Ein beseeltes Lächeln streifte sein Gesicht. Er wollte beweisen, daß er nicht nur der Emmes* unter seinen Kollegen war, zu den Besten der Brückenbauer gezählt hatte, sondern auch im Tanzen firm war.

Als mich ein Junge zum Tanz aufforderte und später an den Tisch zurückbrachte, knurrte Vater, mit dem gehst du nicht mehr, der hat dicke, sinnliche Lippen, der ist nichts für dich. Den nächsten durchschaute er schon von weitem; er war ein Frauenheld. Dann kamen ein Betbruder, ein Fettkloß, ein Säufer, ein Schönling, ein Herzensbrecher und ein Draufgänger. An jedem, der mich zum Tanzen holen wollte, hatte er etwas auszusetzen. Vater wollte der beste Tänzer sein. Er wunderte sich, daß ich an Tango und Jimmy nichts Besonderes fand und vom Charleston auch nicht begeistert war. Das

* Hauptperson, Anführer

liegt an deinen Schuhen, stellte er fest, Kleider und Frisur taugen auch nichts. Eines Abends kam er nach Hause, brachte Perlonstrümpfe und Schuhe mit hohen Absätzen, die er einem Unbekannten in der Wirtschaft abgekauft hatte.

Dies alles ging mir durch den Kopf, als ich nach Mutters Tod über siebzig Feldpostbriefe meines Vaters fand. Alle in der spitzen, altdeutschen Schrift mit Tintenstift auf faserigem Kriegspapier geschrieben. Ich war überrascht, als ich einen sorgenden Vater entdeckte. Er war davon überzeugt, daß es ohne ihn nicht ging. In einem Brief zeichnete er einen Plan, wie der Badeofen am Kamin anzuschließen ist, und schickte eine Beschreibung. Er erinnerte daran, Heizmaterial rechtzeitig zu bestellen, Winterkartoffeln einzukellern, versäumte es nicht, Kameraden, die auf Urlaub fuhren, kleine Geschenke für seine Familie mitzugeben. In jedem Brief erkundigte er sich, ob die Kinder genug zu essen und etwas zum Anziehen hätten, wollte wissen, wie sie sich in der Schule anstellten. Kein Brief endete, ohne daß er sich nach der Gesundheit seiner Frau und der Kinder erkundigte.

Bei meinen Nachforschungen entdeckte ich Karl. Er ist nur ein paar Jahre jünger als Vater und fast wie ein Bruder mit ihm aufgewachsen. Seit langer Zeit hatte ich mich nicht mehr so intensiv mit Vater befaßt wie auf der Reise zu Karl.

Als Hermann noch ein Bub gewesen war, erzählte Karl, fand jedes Jahr ein Pferdemarkt auf dem Barbarossaplatz statt. Dort trieb er sich gerne herum, wo Bauern mit Viehhändlern schacherten, und schaffte den Pferdemist in den elterlichen Garten. Später ist er den ersten Automobilen auf den Straßen nachgelaufen und mit seinem Lehrer in die Umgebung der Stadt gewandert, wo Doppeldecker gelandet waren.

Bei der schweren Grippeepidemie nach dem Ersten Weltkrieg ist Hermann gerade noch dem Totengräber von der Schippe gesprungen, sonst könnte ich dir heute nicht von ihm erzählen.

Ich erinnere mich noch sehr deutlich, fuhr Karl fort, es war ungefähr 1921, wie Hermann eines Tages auf einer Knaudel*

* Schrottplatz, Müllkippe

einen alten Fahrradrahmen fand und mit nach Hause brachte. Es war schon ein rechtes Wrackding. Nach langem Suchen entdeckte er die fehlenden Teile und bastelte an dem Rad im Hof des Stahlwerks. Ich sah ihm tagelang zu. Er hatte mir versprochen, wenn das Rad fertig ist, machen wir zusammen eine Radtour. Als es dann glücklich lief, waren keine Schläuche und Mäntel aufzutreiben.

Dann kam das übliche, keinen Widerspruch gelten lassende ›Karlche, paß uff‹ oder ›Karlche, hör zu‹. Es klang fast wie ein Befehl. Er holte Kissen und ein Stück Kordel, machte mir auf der Querstange einen Sitz zurecht, setzte mich drauf, und ab ging die Reise, die Barbarossastraße entlang, bis zur Entersweiler Mühle. Der Krach der unbereiften Räder, das zeter- und mordioschreiende Karlchen und der singende und pfeifende Hermann! Er kümmerte sich weder um mich noch um die erstaunten Passanten.

Zum ersten Mal erlebte ich einen Hermann, der stolz darauf war, etwas fertiggebracht zu haben. Den Stahlwerkern erklärte er mit der Geste eines Königs, wie er das geschafft hatte.

Es gab fast keine Gelegenheit, zu der er mich nicht mitgenommen hat. Ich war noch nicht in der Schule, muß so vier oder fünf Jahre alt gewesen sein, und erinnere mich noch sehr gut an deinen Vater, der nur neun Jahre älter war als ich und sehr großen Wert darauf legte, daß ich ihn mit Onkel Hermann anredete.

Im Sommer gingen wir im Papiermühlweiher baden. Hermann gab sich große Mühe, mir das Schwimmen beizubringen. Doch damit hatte er kein Glück. Ich mußte aus dem Wasser, und er befahl: Hier bleibst du sitzen!

Im Winter lief Hermann dort Schlittschuhe. Die Schlittschuhe, was waren das für alte, verrostete Dinger. Hermann hatte die Kanten an den Kufen scharf gefeilt, und die Leute bestaunten die Figuren, die er lief. Und mir fiel das glückliche Lachen auf; er konnte etwas, was andere nicht konnten.

Im Alter von zwei Jahren war ich an spinaler Kinderlähmung erkrankt. Darunter habe ich sehr gelitten, oft war ich Zielscheibe von Neugierde und Spott. Man nannte mich Krüppel oder Hupser. Wenn ich das deinem Vater erzählte, antwortete er: Den zeigst du mir! Er hat sie alle verdroschen, bis die Hänseleien im Stahlwerk aufhörten. Sie hatten alle Angst vor ihm.

2

Sie legte dem Arzt Rosen auf den Autositz. Der Doktor war wichtig. Er mußte den Sohn wieder gesund machen. Wir haben die schönsten Edelrosen, sagte sie, stolz, daß sie sich diese kostbaren Pflanzen geleistet und sie über den Krieg gerettet hatte. Aber keine davon wird geschnitten. Nur wenn der Arzt kommt, das ist etwas anderes.

Im Frühsommer kletterte ihr Sohn in der Badehose auf den Kirschbaum und bespuckte sie mit Kirschkernen. Darüber lachte sie und bespritzte ihn übermütig mit dem Gartenschlauch.

Er bastelte aus Astgabeln, Gummiringen und Leder eine Schleuder und zielte auf Vögel, schlich sich an, wie ein Indianer geduckt, schoß mit Pfeil und Bogen, baute Bretterbuden, lief freihändig über die Teppichstange. Du mußt besser auf deinen Bruder aufpassen, er ist so waghalsig. Im Winter durfte er aufs Eis, sie kaufte ihm Kunstlaufschlittschuhe. Er fuhr zum Schilaufen in die Berge. Sein Taschengeld reichte nicht; sie überwies ihm telegrafisch ein paar Scheine. Dafür hatte sie Verständnis, es fiel kein Wort der Kritik. Beim Schwimmenlernen sprang er in eine rostige Blechdose. Mutter machte mir Vorwürfe, daß ich ihn nicht genügend betreue, obwohl ich seinen zerschnittenen Fuß mit meinem Hemd umwickelt hatte.

Am Muttertag kam er mit geschultertem Stock, ein Bündel drangebunden, und brachte im rotkarierten Tuch ein Geschenk für sie. Er kannte ihre Wünsche, ihre romantischen Träume. Schon als kleiner Junge versprach er, wenn ich groß bin, kaufe ich dir einen goldenen Hut. Sie glaubte ihm.

Jeden Tag wußte sie einen neuen Namen für ihn: Hermann der Cherusker, oder einen noch schöneren, Arminius, nach dem germanischen Feldherrn. Der Sohn hieß wie der Vater.

Jetzt lag Hermann mit hohem Fieber zu Bett. Der Doktor mußte kommen. Man rief ihn oft. Jedesmal, wenn der Sohn krank war, kam er im dunkelblauen Wagen.

Der Arzt öffnete die Ledertasche, nahm das Stethoskop heraus, saß auf der Bettkante, tastete mit der metallenen Hörmuschel den Rücken ab, schloß die Augen, machte eine ernsthafte Miene. Einatmen! Ausatmen! Tiefer atmen! Klopfte und lauschte auf Geräusche aus dem Innern des Jungen, machte ein besorgtes Gesicht und verriet das Ergebnis: Lungenentzündung! Das kam davon.

Das Leitungswasser über dem erhitzten Jungenkörper war zu kalt. Als es Hermann wieder besser ging, überreichte er die frisch geschnittenen Rosen. Der Bub hat so treuherzige Augen, sagte Mutter, und wenn er sein Gedicht vorträgt, ist der Arzt jedesmal hingerissen.

Arzt! Wie wird man Arzt, fragte ich, als ich die weißemaillierte Schüssel mit Wasser, Seife und Handtuch ins Zimmer brachte, damit sich der Arzt die Hände waschen konnte.

Man muß studieren.

Studieren? Was ist das?

Ein Wort, das in unserer Familie unbekannt war. Es gehörte zu den Ausdrücken wie Bibliothek, Examen, Universität, Dozent, die man zwar ab und zu bei Fremden hörte, von denen man aber nicht wußte, was sie bedeuteten. Ich öffnete leicht den Mund, legte den Kopf in den Nacken und schaute nach oben. Universität, eine Stätte in Heidelberg, ähnlich dem Schloß, voller Geheimnisse. Ein Ort, von dem man mit Ehrfurcht sprach, weihevoll, nicht jedem zugänglich. Wenn jemand auf den Tod krank war, kam er nach Heidelberg in die Universitätsklinik. Die Universität! Bedeutender als die Kirche, in die wir jeden Sonntag gehen konnten, wenn wir Lust dazu hatten.

Neugierig schaute ich dem Arzt ins Gesicht. Ich stand vor ihm. Er lachte. Mutter lachte auch. Lachte, wie man ein unvernünftiges Kind wegen einer zu dummen Frage auslacht. Ihre Augen sagten, kommt für dich nicht in Frage. Weiß selbst nicht, wie man Arzt wird. Ihre Leiter hört beim Beamten auf. Darüber schweben Ärzte, Pfarrer, Richter und Professoren. Und darüber der liebe Gott.

Professoren wissen über alles in der Welt Bescheid. Das kann sie mit aller Gewißheit sagen. Schließlich war ihre Mutter eine Zeitlang Köchin bei einem solchen Herrn in Heidelberg gewesen. Mädchen, die keinen Vater für ihr Kind vorweisen konnten und kein Geld hatten, kamen zum Herrn Professor in Stellung, arbeiteten dort, bis es soweit war. Dann gebaren sie ihr Kind auf der Station des Professors. Ganz umsonst. Die Studenten durften diese Frauen untersuchen, bei der Entbindung dabeisein und lernen, wie eine Geburt vor sich geht.

Ich glaube, sagte sie, Mädchen können überhaupt nicht Arzt werden, höchstens Hebamme. Aber kümmere du dich um deinen Bruder, damit er in der Schule nicht so viel versäumt.

Das letzte Schuljahr, ich saß in der vierten Reihe am Fenster. Tische und Bänke waren fest miteinander verschraubt. Beim Aufstehen schnitt das Holz des Sitzes in die Kniekehlen. Ich schaute hinaus: verschachtelte Dächer, vielfarbig zusammengestückelt wie Flickenteppiche. Abbröckelnde Kamine ragten aus den Ziegeln. Überall standen schmutziggraue Mauern, von Bomben zerstört, aus dem Schutt gegraben und behelfsmäßig ausgebessert. Ruinen und eingefallene Keller steckten dazwischen. Vor zerfallenden Wänden türmten sich abgeklopfte Steine.

Ich hatte aufgegeben. Was der Lehrer vortrug, kümmerte mich nicht mehr. 1950, meine Konfirmation lag nun zwei Jahre zurück. Ich war noch nicht sechzehn Jahre alt. Die Währungsreform war gerade überstanden und Großmutters Geld entwertet worden.

Das hat sie nun davon, daß sie immer so auf ihrem Geldsack saß, sagte Vater. Was für einen schönen Betrieb hätte man davon hinstellen können.

Die Fahnenstangen standen noch vor den Häusern. Sie gehörten zur Ausstattung der Siedlung wie die Namen des deutschen Ostens, Memel, Batschka, Banat und Siebenbürgen für die Straßen. Die Namen wurden gleich nach dem Krieg abgelegt, die Fahnenstangen erst viel später.

War ich unterwegs und plötzlich heulte eine Fabriksirene wie vor einem Fliegeralarm, wußte ich nicht, ob ich mich flach auf den Boden oder in den Straßengraben werfen sollte. Vorsichtshalber ging ich eng an Häuser gedrückt oder im Schutz von Alleebäumen. Die Angst vor den Fliegerangriffen steckte noch in mir.

Mutter würgte alle meine Vorschläge ab. Ich hatte mich zur

Aufnahmeprüfung im Lehrerseminar angemeldet, konnte nicht einsehen, daß ich aus der Klasse ausscheiden und meine Freundinnen verlieren sollte. Die meisten wollten Lehrerin werden. Nichts konnte Mutter rühren. Ich bat, ich forderte, ich weinte. Sie bestand darauf, du machst eine Lehre. Was glaubst du, wieviel schöne Dinge du dir von dem Geld, das du verdienen wirst, kaufen kannst: Kleider und Schuhe, Schmuck, eine Armbanduhr, Pralinen und Schokolade. Die Schaufenster werden wieder voll davon sein. Man braucht nur Geld, um sich alles kaufen zu können. Mutter malte meine Zukunft in den herrlichsten Farben. Bis die anderen die Schule hinter sich und einen Beruf erlernt haben, hast du schon so viel verdient, daß dich deine Mitschülerinnen nicht mehr einholen können.

In der Schule saß Gertrud neben mir; ihre Mutter war Studienrätin, ihr Vater Oberstudiendirektor. Sie erzählte mir von ihren beiden Brüdern, die in München Ingenieurwissenschaften studierten, und von ihrer Schwester, die sich in der medizinischen Fakultät Heidelberg eingeschrieben hatte. Gertrud machte beim Schiffeversenken nicht mit. Aber es gab kein Fach, in dem sie nicht eine sehr gute Note auf ihrer Klassenarbeit stehen hatte, wenn sie zurückgegeben wurde.

Laß mich doch wenigstens die Frauenfachschule besuchen, fing ich zu Hause wieder an. Dort schreibt man die schönen Kochbücher, verziert Tischdecken mit Hohlsaum oder Kreuzstichen. Aber Mutter sagte nur, das kannst du auch daheim lernen. Wir hatten mit der Klasse am Ende eines jeden Schuljahres die Ausstellungen mit den Batikarbeiten, den geflochtenen Lampenschirmen und den durchsichtigen Mobiles besucht.

Am Entschluß meiner Mutter war nicht zu rütteln. Eines Tages heiratest du und bekommst Kinder, dann war die Ausbildung für die Katz und das Geld zum Fenster hinausgeworfen. Mädchen heiraten! Es hing wie ein Orakelspruch über meinem Leben. Mädchen heiraten. Du heiratest! Heirate!

Eine Aufforderung. Ein Befehl. Jungen heiraten doch auch. Ich konnte sie nicht verstehen. Da nützten alle guten Noten nichts. Es war einfach nichts zu machen.

Nachmittags, ich stand neben meiner schreibenden Mutter. Auf dem Ausziehtisch im Wohnzimmer lag das Journal.

Sie machte Buchführung für den Handwerksbetrieb meines Vaters. Glattes Papier, rötliche und bläuliche Linien zogen sich wie Arterien und Venen von oben nach unten. Das Tintenglas stand davor, der Federhalter mit der Lifeder lag in ihrer Hand. Sie listete alle Beträge gewissenhaft in die Spalten unter Soll und Haben auf, daß sie sich ergänzten, addierte Zahlenkolonnen senkrecht und machte mit den waagrechten Summen die Probe. Mutter fühlte sich wohl bei dem Gedanken, nun eine Geschäftsfrau zu sein.

Dann füllte das Tacken der Schreibmaschine die Wohnstube. Ihr Bürogesicht über weiße Seiten gebeugt, war Mutter endlich wieder in ihrem Element. ›Nur zur Verrechnung‹, schrieb sie und ›Betrag dankend erhalten‹. Sie tippte Angebote, Rechnungen und einen Brief. Sehr geehrter Herr, begann sie, obwohl sie eine Mordswut auf ihn hatte, weil er seine Rechnung lange Zeit nicht bezahlt hatte.

Den kleinen Namen ihres Mannes, den sie bei ihrer Heirat gegen ihren viel klangvolleren hatte eintauschen müssen, setzte sie in Sütterlinschrift so schwungvoll unter den Brief, daß er wie die Signatur eines Königs aussah. Niemand in der Familie konnte ihr den Schriftzug nachmachen.

Die Schrift zeigt den Charakter, behauptete sie. Die Buchstaben müssen sich immer in die gleiche Richtung neigen. Wer rückwärts schreibt, lügt. Der saubere Beruf, das saubere Papier, die sauberen Hände, das ist doch etwas anderes als Kartoffelschälen.

Heirate nie einen Mann, der in blauen Kleidern sein Geld verdient! Jedesmal, wenn sie Vaters Arbeitsanzug wusch, bügelte und die Winkelhaken darin zusammenflicken mußte, klagte sie.

An den schlechten Erfahrungen, die sie gemacht hatte, zeigte sie mir, wie sehr sie sich in diesem Mann geirrt hatte und wie arg sie mit ihm bestraft war. Leute, die kein Amt innehatten, die nicht Lehrer, Beamte oder zumindest Angestellte waren, sondern als Handwerker oder gar als Arbeiter tätig waren, galten nicht viel. Bauern, Grundstücksbesitzer, Hauseigentümer, Leute, die etwas besaßen, das waren Leute.

Sie stammte von Bauern ab, hatte trotzdem einen Arbeiter geheiratet. Aber ihr Vorhaben, ihn umzuerziehen, ihn hochzuziehen, betrachtete sie, selbst als Vater einen Handwerksbetrieb gegründet hatte, als gescheitert.

Zuerst mußte er zusehen, daß er sein Arbeitsverhältnis in ein Angestelltenverhältnis umwandelte, er mußte in die Angestelltenversicherung und in eine honorable Krankenkasse eintreten.

Der Steuerberater kam: Das haben Sie hervorragend gemacht! Es war die Anerkennung, die sie brauchte.

Solange sie lebte, erzählte sie von ihren Jahren im Büro. Erst als sie über dreißig Jahre alt geworden war und ihre Freunde und Freundinnen alle längst verheiratet waren, konnte sie dem Spott nichts mehr entgegensetzen und suchte sich einen Mann.

Ich sah schon das verächtliche Grinsen in den Augenwinkeln meiner Bekannten über meine Zukunft als alte Jungfer, da wurde es Zeit für mich, zu heiraten.

Mutter hatte mir frühzeitig beigebracht, Briefe und Rechnungen nach dem Alphabet zu ordnen, daß Sch vor Sp, Schwarz vor Sperling kommt. Ich stand da, hatte Aktenordner und Locher vor mir, sortierte Rechnungen, Quittungen und Buchungsbelege. Meine Hausaufgaben gingen mir durch den Kopf. Sie waren Nebensache, im Moment unwichtig. Was hast du auf? Einen Aufsatz? Den kannst du nachher machen.

›Edel sei der Mensch, hilfreich und gut‹, empfahl sie mir als Widmung in das Poesiealbum meiner Schulkameradin zu schreiben.

Es war furchtbar für mich, wenn der Klassenlehrer fragte, wer verläßt nach der Mittleren Reife die Schule, zusammen mit den versetzungsgefährdeten Schülerinnen die Hand heben zu müssen. Ich weinte und jammerte jeden Tag. Mutter riß der Geduldsfaden: Sei froh, daß wir dich überhaupt in eine höhere Schule geschickt haben. Wir haben unsere Schuldigkeit getan. Du warst immerhin die erste aus der Familie, die auf eine solche Schule gehen konnte. Eine Lehre war noch nie verkehrt. Am besten, du gehst in ein Büro. Ich habe einen Verwandten bei der Bank. Er ist dort Direktor; da kommst du bestimmt unter.

Wenn Vater abends heimkam, las er die Zeitung. Er saß über das Blatt gebeugt, hatte die Ellenbogen aufgestützt und wühlte mit beiden Händen in den Haaren. Überhörte Mutters Satz: Was soll aus dem Mädchen werden! Auf eine solch nebensächliche Frage gab Vater keine Antwort. Da hatte er Wichtigeres im Kopf: Ob er die Miete für eine größere Werkstatt aufbringen konnte und endlich aus der muffigen Hinterhausbude herauskam; ob der Hof mit Hartsteinen gepflastert oder mit Platten belegt wird. Das waren Entscheidungen, über die eher ein Gespräch in Gang kommen konnte. Vater ahnte nicht, daß ich weiter zur Schule gehen wollte, und mir fehlte der Mut, mit ihm darüber zu reden. Ich wagte nicht, ihn anzusprechen. Er kam jeden Abend schlecht gelaunt nach Hause. Die Stunden vergingen in angespannter Stille. Es war ungemütlich, wie bei einem Gewitter, wenn es geblitzt, aber noch nicht gedonnert hat. Ich unterließ jeden Satz, über sich ein Streit hätte entfachen können. Meine Ausbildung war kein Thema, und das Abitur etwas für Leute mit Schlips und Kragen. Wer sich anstrengte, brachte es zu was, das stand fest, ob mit oder ohne Schule.

So habe ich Vaters Ansicht nicht erfahren. Vielleicht glaubte er, daß Mutter über Mädchen besser Bescheid wußte, und ließ ihr freie Hand bei der Lehrstellensuche; oder er besprach sich mit ihr, wenn ich nicht dabei war.

Hilf deiner Mutter! befahl Vater, wird's bald! Daß ich gefälligst zu Hause mit anpacken sollte, darin stimmte er mit Mutter überein. Er ging auch davon aus, daß Mädchen über kurz oder lang heiraten.

Mutter hatte für mich einen kaufmännischen Beruf ausgesucht; dachte, daß ich genau so begeistert und glücklich sein werde wie sie, wenn ich mit reinen Kleidern und sauberen Händen Geld verdienen werde. Sie begriff nie, daß ich ihr Leben nicht fortsetzen konnte, daß ich ein von ihr getrennter Mensch mit anderen Vorstellungen war.

Wenn Onkel, der durch seinen geschäftlichen Spürsinn und sein kaufmännisches Talent zu einem beachtlichen Unternehmen gekommen war, uns besuchte, mußte ich mein letztes Zeugnis hervorholen. Er zog seine Geldbörse und schenkte mir fünf Mark. Es war mir peinlich; erschien mir wie der Verrat meines wichtigsten Geheimnisses. Auf Mutters Kommando mußte ich meine Noten präsentieren. Sie wollte mit mir beweisen, daß sie es auch bald geschafft und zu etwas Vorzeigbarem gebracht hatte.

Mit Zeugnis und Lebenslauf in der Tasche, ging ich mit Mutter zur Sparkasse. Wir meldeten uns im Vorzimmer und warteten. Ich würde Ihre Tochter ja gerne einstellen, sagte der Direktor, einen überheblichen Ton in der Stimme, aber sie hat eine Zwei in Mathematik. Da hat sich noch eine andere Schülerin beworben, sie hat eine Eins. Er blieb förmlich, sagte Sie zu meiner Mutter, obwohl sie doch vorgegeben hatte, mit ihm verwandt zu sein, und er schickte mich weg, trotz der Versicherung meiner Mutter, er wird mich ganz bestimmt einstellen. Ich dachte an den Geschäftsmann, dem ich morgens in der Schule eine Absage erteilt hatte.

Der Kaufmann war beim Direktor meiner Schule erschienen und hatte ihn gefragt, wen er ihm als Lehrmädchen empfehlen könnte. Die Wahl war dabei auf mich gefallen. Man hatte mich ins Direktorat gerufen und dem Geschäftsmann vorgestellt. Aber ich vertraute an diesem Tag noch auf die guten Beziehungen meiner Mutter und gab dem Mann eine schnippische Antwort. Erklärte ihm, daß ich die Bank seinem Laden auf jeden Fall vorziehen werde. Daraufhin stellte er eine Klassenkameradin ein.

Was nun? Wir gingen von Bank zu Bank, von einer Versicherung zur anderen. Überall waren die Stellen schon besetzt, oder sie wiesen mich mit der Ausrede ab, keine Lehrlinge einzustellen. Wir probierten es bei Anwaltskanzleien. Mutter verwies bei jeder Vorstellung auf mein gutes Zeugnis. Tagelang waren wir unterwegs. Ich schrieb Bewerbungen, ich stellte mich in Industriebetrieben vor, bei der Post ließ ich mich auf eine Liste setzen, schickte Briefe an die Stadtverwaltung, an das Finanzamt, an die Baubehörde. Es kamen nur Absagen zurück.

Ich habe noch einen alten Freund bei einem Lebensmittelunternehmen mit vielen Filialen. Dort nimmt man dich mit Kußhand. Ich brauche nur anzufragen, tröstete mich Mutter. Aber dem Bekannten war ich angeblich zu schade für seinen Betrieb. Ich kam mir vor wie eine Ware, die man anpreist, und hatte keine Lust mehr, mich vorzustellen, mich begaffen und ausfragen zu lassen, wieviel Anschläge ich auf der Schreibmaschine machte, wieviele Silben in der Minute ich stenografierte, ob ich denn im Rechnen firm sei, und wie es mit Englisch und Französisch aussehe, natürlich in Wort und Schrift.

Insgeheim war ich froh, keine Stelle gefunden zu haben

und wollte mich schon in der Schule zum Weitermachen melden. Da kam eines Morgens Mutter während des Unterrichts und holte mich zu einer Vorstellung ab. Die Stelle ist dir sicher, sie suchen dringend jemanden.

Es war eine Lederwarenfabrik. Sie stellten Koffer, Taschen, hauptsächlich aber Trachtenhosen und Hosenträger für einen Bekleidungskonzern her. Sie nahmen mich. Aber nicht als Lehrling, sondern als Anfängerin. Weil alle Ausbildungsplätze bei der Firma schon besetzt seien, sagte der Personalchef.

Um sieben Uhr pünktlich mußte ich morgens beim Pförtner meine Stechkarte in die ratternde Uhr stecken. Es war eine alte Fabrik, in der vor allem Frauen und Mädchen im Akkord arbeiteten. In dem roten Sandsteingebäude surrten in mehreren Stockwerken Nähmaschinen und Förderbänder. Ich durfte die Fabrikationsräume nie betreten, sah nur, wenn der Meister am Morgen die eiserne Tür nach innen zuzog und abschloß, und dachte jedesmal an Einsperren, daß er alle Frauen für sich einsperrte, ich unterstellte es ihm einfach. Über Mittag durfte niemand den Betrieb verlassen.

Ich fuhr mit Mutters klapprigem Fahrrad zur Arbeit. Gegenüber der Fabrik stand eine Jugendstilvilla, die von französischem Militär besetzt war. Eines Morgens rutschte ich mit dem Fahrrad auf dem splittüberschütteten Bürgersteig aus, stürzte, mein Rock flog in die Höhe. Ich lag vor dem mit jungen Franzosen besetzten Lastwagen. Sie schauten auf mich herab und lachten.

Im Büro vertraten sich mehrere Chefs, das System durchschaute ich nie. Eine ältere Büroleiterin gab den Ton an. Eine Chefsekretärin trippelte mit dem Stenoblock zur Schreibmaschine; ihr Rock ließ keine großen Schritte zu. Lehrlinge im zweiten und dritten Jahr lasen Bankauszüge wie Liebesbriefe. Sie waren alle meine Vorgesetzten. Ich mußte auf der Hut sein, ständig gab mir ein anderer Weisungen, und ich wußte nicht, was ich zuerst erledigen sollte.

In einem Schubladenregal, das beinahe bis zur Decke ging, lagen Briefe, Reklamationen, Antwortschreiben und Kopien. Sie mußten geordnet und einsortiert werden; das war der Grund meiner Einstellung.

Ab und zu rief mich ein Direktor zum Diktat. Ich saß in

meinem Schulkleid vor ihm. Er musterte mich. Meine Hände, ich hatte keine roten Nägel; meine Bluse war nicht ausgeschnitten, der Rock zu lang, die gestopften Strümpfe, meine flachen, ausgelatschten Schuhe. Erstarrt aus Furcht vor dem großen Herrn kam ich beim Stenografieren nicht mit, schrieb hastig und unleserlich, konnte meine Kurzschrift hinterher nicht übertragen, saß vor der Schreibmaschine, überlegte, wie der diktierte Text gelautet haben könnte, starrte ratlos auf die Tasten und zitterte. Ich mußte länger bleiben, bis alle Briefe geschrieben waren. Viele mußte ich noch einmal tippen. Danach steckte ich sie in Umschläge, frankierte sie. Es war sieben Uhr abends. Bringen Sie die Post noch zum Kasten!

Ich lochte Papiere, trainierte mich im Alphabet, heftete ab, füllte Ordner um Ordner. Nach vier Wochen waren sämtliche Schubladen des Regals leer. Ich hatte alles aufgearbeitet.

Der Personalchef rief mich. Sie wissen, daß ich keinen weiteren Lehrling einstellen darf. Als ungelernte Kraft sind Sie mir zu schade. Suchen Sie sich eine Lehrstelle! Die Firma zahlte mir siebzig Mark und entließ mich.

Mutter kaufte sich für das Geld Stoff für ein Sommerkleid und ein Korsett, die restlichen fünf Mark gab sie mir großzügig als Taschengeld zurück. Sie hatte den Standpunkt, verdienende Kinder müssen zum Unterhalt der Familie beitragen.

Laß deine Kinder nie mehr werden, als du selbst bist. Sie schauen sonst auf dich herab. Laß sie nicht höher fliegen, als du Flügel hast, so belehrte mich Mutter. Sie predigte es mir, als ich ein Kind war und machen mußte, was sie sagte. Sie warnte mich, als ich selbst zwei Kinder hatte. Sieh zu, daß deine Kinder beizeiten den rechten Weg einschlagen; erziehe sie zu anständigen, rechtschaffenen Menschen. Du mußt immer hinterher sein, daß sie nicht aus der Reihe tanzen.

Ich hielt den Kopf gesenkt, habe alles geschluckt, keine Sekunde aufrecht gestanden. Daß ich geschwiegen habe, mit Einsicht hatte das nichts zu tun, aus Furcht habe ich nicht rebelliert.

Du sollst Vater und Mutter ehren, auf daß es dir gut gehe und du lange lebst. Damit war ich blockiert. Ich wagte nicht, mich zu wehren. Glaubte, Eltern wollen nur das Beste für ihre Kinder, weil sie mehr wissen, weil sie älter sind.

Kinder sind biegsam wie junge Bäume, hieß einer der Erziehungssätze. Ich konnte nicht verhindern, daß ich mich ihren Wünschen beugen mußte, daß sie mich zum ordentlichen Mädchen nach ihren Vorstellungen zurechtstutzten. Mein Konfirmandenspruch hing eingerahmt an der Wand: Sei stille dem Herrn und warte auf ihn.

Mit dir hatte ich nie Kummer, bestätigte Mutter später. Du warst eine brave Tochter, würdigte sie ihre eigene Erziehungsleistung an mir, wenn ich sie besuchte und ihr über Probleme mit meinen eigenen Kindern berichtete. Ja, ich habe alle ihre Forderungen erfüllt, habe mich nicht gegen ihr Diktat gesträubt, habe immer die Kirche im Dorf gelassen. Wie konnte ich meiner Mutter, die sich ständig über ihren Mann mit den blauen Arbeitskleidern beklagte, ihrer Zeit auf dem Büro nachtrauerte, die zwei Kriege erlebt, zwei Notzeiten erlitten hatte, auch noch Sorgen bereiten.

Auf meinem Entlassungszeugnis stand der Vermerk, die Schülerin hat die Obersekunda-Reife, Mittlere Reife war durchgestrichen. So blieb mir wenigstens der Traum, daß, wenn man es mir erlaubt hätte, ich bis zum Abitur weitergekommen wäre.

Die Familie war die Einheit, das Nest, die Ausgangsbasis. Was von ihr nicht gutgeheißen und gefördert wurde, war von Anfang an zum Scheitern verurteilt. Die Familie mußte nach innen erhalten, nach außen geschützt und verteidigt werden, auch wenn sich noch so große Querelen abspielten. Eine gute Mutter deckt mit ihrer großen Schürze alles zu. Damit zeigte die Mutter meines Vaters der Familie ihres Sohnes den Weg, die Einigkeit nach außen zu demonstrieren. Du mußt dich halt fügen, war ihr ständiger Ratschlag, mit dem sie jeden Streit zu schlichten versuchte. Kinder müssen sich den Eltern fügen, Ehefrauen ihren Männern, Menschen haben sich Gott zu fügen.

Sie war eine fanatische Bibelforscherin und hatte für jeden Anlaß einen Spruch aus der Bibel: Seid untertan der Obrigkeit, die Gewalt über euch hat.

Seit dem Ende des Zweiten Weltkrieges mußte ich den Bibelkreis besuchen. Nach dem verlorenen Krieg müssen wir dankbar sein, ermahnte mich Stahlwerksmutter.

Des Vaters Segen bauet den Kindern Häuser, aber der Mutter Fluch reißet sie nieder.

Ein Auge, das den Vater verspottet, das es verachtet, der Mutter zu gehorchen, das müssen die Raben am Bach aushakken und die jungen Adler fressen. – Ich stellte mir alles bildlich vor.

3

Vater lenkte das Auto mit dem zurückklappbaren Verdeck zum ›Weißen Häusel‹. Es war unser erster Sommer in der Großstadt. Er trug eine sandfarbene Automütze, eine Brille und sang am Steuer. Der Fahrtwind wehte ein paar Töne zu mir auf den Rücksitz. Vater liebte es, im Rhein zu schwimmen. Stolz strich er über seinen muskulösen Körper. Ein andermal ging es nach Speyer. An einem Kiesufer unterhalb der Rheinbrücke zeigte er uns, wie man den Rhein überqueren konnte, ohne in den gefährlichen Sog eines Strudels zu geraten. Vom anderen Ufer winkte er und schwamm wieder zurück. Strahlend stieg er aus dem Wasser, ließ sich die Anstrengung nicht anmerken, tat, als sei das Überqueren des Rheins eine Kleinigkeit. Wir bewunderten seinen Mut und seine Kraft. Er war ein Vater, der gelobt und anerkannt sein wollte.

Du bist voller Spuchten*, wie ein Hund voller Flöhe, sagte er, als ich am Abend nicht einschlafen wollte. Seine grauen Augen, die sich so leicht verfärben konnten, waren über mir. In der Ludwigshafener Wohnung stand mein Bett in der Schlafstube der Eltern. Das Kinderzimmer hatten sie dem Neffen bis zum Ende seiner Lehrzeit überlassen. Ich plapperte weiter. Eine zweite, eine dritte Mahnung folgte. Vaters Lautstärke steigerte sich. Er brüllte: Ruhe jetzt! Ich wurde mucksmäuschenstill, paßte auf, daß mein Atem nicht zu laut aus der Nase kam. Die Angst war zurückgekehrt.

Tage vorher war ich aus dem Bett geklettert, auf die Nachttischkante getreten, wobei die Marmorlampe zu Boden gestürzt war und zerbrach. Mutter schrie, die schöne Lampe, die teure! So eine Katastrophe! Vater kam wütend um das Fußende des Doppelbettes auf mich zu. Das laß ich dir nicht durchgehen! Das nicht! schrie er und schlug mir ins Gesicht.

* Flausen

Ich steckte den Kopf ins Kissen, weinte und weinte. Bist du jetzt endlich still! Willst du jetzt endlich ruhig sein. Ich schnipste*, konnte nicht aufhören mit Weinen. Ich hasse sie. Ich hasse sie, dachte ich.

Vater war an das Zusammenleben mit Frau und Kindern, an das Tag-für-Tag, das Nacht-für-Nacht mit ihnen nicht gewöhnt. Er war immer Wochenendvater gewesen, verbrachte nur Stunden, höchstens einen Sonntag zu Hause. Es gab Zeiten, da war er monatelang nicht heimgekommen, wenn die Baustelle zu weit entfernt gewesen war und der Firma die Bahnfahrt zu teuer erschien. Als Kind fielen mir zu dem Namen Papa immer gleich Koffer und Weggehen ein. Kaum war er angekommen, hatte ausgepackt, die schmutzige Wäsche in die Waschküche getragen, nahm er die frischgepackten Koffer wieder auf und ging zur Bahn. Er fuhr auf Montage.

Wir wohnten noch in dem kleinen Haus am Stadtrand. Es roch nach reifen Himbeeren, nach Sommer und warmer Erde, alle Fenster und Türen des Siedlungshauses standen offen, ich ging in den Garten, aß grüne Bohnen von den Stauden, Erbsen, Karotten, Rhabarberstengel. Er nannte mich Gadekrott**. Wenn mein Gesicht vom Laufen erhitzt war, sagte er Radieschen oder Rotrübchen zu mir. Im Winter, wenn mir beim Schlittenfahren Nase und Wangen rot geworden waren, die Haare zerzaust unter der Mütze hervorhingen, meine Kleider durchnäßt waren und ich immer noch nicht nach Hause wollte, rief er mich Hurlwisch*** oder Hexenbesen. Vater wußte damals nicht viel mit mir anzufangen. Er hob mich mit seiner Riesenhand hoch und setzte mich auf seine Schulter. Die Zeit reichte nie, uns richtig kennenzulernen.

Eines Sonntags ging er in den Wald, das Sterholz suchen, das uns als Winterbrand zugewiesen worden war, dabei zeigte er seine Reviere am Dammbrunnen und im Grundbirngarten, in denen er früher Holz geholt hatte. Er kannte sich im Wald rings um die Stadt aus wie in seiner Hosentasche, wußte Schlupfwinkel und Moosbänke. Das Laubwalddickicht, in dem sich eine alte Frau nach dem Holzlesen umgezogen, ihr

* schluchzen
** Kosename für zierliches Mädchen
*** Kosename für lebhaftes Kind

schweißnasses Hemd zum Trocknen aufgehängt hatte, bevor sie sich mit dem Leiterwagen auf den Heimweg machte, nannte er ›de alt Hessen ehr Stubb‹.

Hast du an das Tütchen mit Salz gedacht, erinnerte er mich. Ach, das Salz, das er Rehen und Hasen auf die Pritsche streuen und die Tiere damit fangen wollte, ich hatte es schon wieder vergessen. An Vaters Geschick zweifelte ich keinen Augenblick.

Paß auf, ein Hexenring, warnte er, als ich plötzlich vor einem geschlossenen Pilzkreis stand. Pilz an Pilz, Hut an Hut; dicht nebeneinander waren nebelgraue Trichterlinge aus dem Waldboden gewachsen. Wenn Fliegenpilze oder Trichterlinge in der Runde stehen und Jahr für Jahr wiederkommen, so nennt man das Hexenringe, erzählte Vater. In einer Sage wird berichtet, daß unholde Mächte am Werk sind. Wer in einen Hexenring gerät, wird sofort verzaubert, und es ist unmöglich, wieder herauszukommen.

Vater ging gern über federnde Nadelteppiche. Er zeigte mir faules Holz, nahm es mit nach Hause, legte es bei Nacht auf die Treppe. Es leuchtete im Dunkeln. Er erklärte mir an Flechten und der Bemoosung der Stämme die Himmelsrichtung, wußte Plätze, an denen die schönsten Steinpilze wuchsen.

Wir fuhren in den Wald Holzsammeln. Die Waldtage in Stadt- und Reichswald waren genau einzuhalten, schrieb Karl. Hermann war nach Feierabend heimgekommen, zeigte mir zwei merkwürdig aussehende Eisen, die mit langen Spitzen versehen waren, und sagte, es seien Eisen zum Besteigen der Bäume. Aus dem Keller wurde der Zweiradkarren geholt, im Hof zusammengesetzt. Ich kam in den Kasten, Hermann ging zwischen die Deichsel. So fuhren wir in den Wald.

Ich durfte noch zusehen, wie er den ersten Baum bestieg, Äste mit dem Beil abhackte. Er lachte. Ich hatte Angst, er fällt herunter.

Später stellte Hermann den Karren hochkant, mit der Deichsel nach oben. Dann kam, was wieder wie ein Befehl klang: Karlche, pass uff, du setzt dich in den Kasten und rührst dich nicht vom Platz. Ich fühlte mich wohl, es war wie ein richtiges Haus. Neben mir lagen eine Feldflasche mit Kaffee und ein paar Ranken Brot in Zeitungspapier eingewickelt.

Darauf mußte ich aufpassen. Ich schlief ein. Als ich wach wurde, regnete es. Wir machten Brotzeit, und Hermann erzählte mir die Geschichte vom Hasenbrot, dem Brot, das, wenn man es einmal mit in den Wald genommen hat, Vögel darüber singen, Hasen darüber springen, einen unvergleichlichen Geschmack bekommt. Es schmeckte mir so gut, daß ich längere Zeit an diese Geschichte glaubte. Wir beluden den Wagen. Das grüne Holz kam in den Kasten; das dürre, das wir holen durften, oben drauf. Hermann machte vier Stützen; es wurde eine große Fuhre.

Er ging wieder zwischen die Deichsel, legte sich einen Zugstrick um die Schulter, und ich mußte, solange der Weg sandig war, schieben. Was heißt schieben, mit Sicherheit wollte er mir das Gefühl geben, daß er mich braucht. Auf der befestigten Straße an der Lauterspring* kam ich auf den Wagen und gab Kommandos wie ein Fuhrmann, der mit seinen Pferden spricht. Auf dem Stahlwerk angekommen, bewunderten meine Mutter und die Nachbarn die große Fuhre Holz. Hermann war stolz und zufrieden.

Im Stahlwerk, den schmaldachigen Wohnschachteln, lebten die Arbeiter des Eisenwerks mit ihren Familien. An jedem Haus im Parterre eine Tür, ein Stiegenhaus führte außen steil in den ersten Stock; Stufen, Holztreppen, Wege und Steine waren von unzähligen Füßen ausgetreten. Die Aborte hingen auf halber Höhe wie angeklebt; alles schon leicht verfallen, Risse im Verputz, die Fensterläden verwittert, graue Blechrohre leiteten Spülwasser an den Hauswänden hinunter in die Rinne. Unterhosen, Arbeitsklamotten und Windeln flatterten auf Leinen im Hof. Darunter wimmelten Kinder; die Buben kurzgeschoren in Kleidern, die Mädchen mit Zöpfen und Schürzen. Gärten vor und hinter dem langgestreckten Bau, blockweise aufgeteilt, waren mit Gemüse, Johannisbeer- und Stachelbeersträuchern bis in den letzten Winkel genutzt. Hühner und Gänse in niedrigen Bretterbuden vor der Sandsteinmauer zum ›Großen Hof‹ lebten meist nur den Sommer über bis zum nächsten Fest.

Es war Ende Oktober, Allerheiligenstimmung. Die Fenster unserer Küche waren vom Wasserdampf beschlagen,

* Quelle der Lauter

draußen regnete es. Vater setzte sich auf die Eckbank, rutschte so lange hin und her, bis er glaubte, den bequemsten Platz gefunden zu haben. Jetzt war Vaters Kopf ganz nahe vor mir. Wir pflanzten zwei große Gärten, erinnerte er sich, unsere neunköpfige Familie versorgte sich sommers mit Obst und Gemüse. Im Winter lebten wir von eingelegten Bohnen, Sauerkraut aus Steinguttöpfen, von Rüben, die wir im Sand eingegraben hatten, und von Kartoffeln. Die Rüben, die Rüben, die haben mich vertrieben; hätt' meine Mutter Fleisch gekocht, wär' ich bei ihr geblieben, lachte er.

Vater erzählte von früher: Die vielen Kinder waren andauernd hungrig, die Familie hatte zuviel Brot gekauft. Der Alte kam heim, warf das Brotbuch unter den Herd. Der Kleinste mußte es wieder herausholen. Das Brotbuch, ein Kapitel für sich!

Brot wurde nicht bezahlt, wenn man es beim Bäcker holte, der Kaufpreis wurde in ein kleines Heft eingetragen, das jede Familie besaß. Am Ende der Woche, wenn der Vater Zahltag hatte, ging er zum Bäcker und rechnete mit ihm ab. Die Brotrechnung war immer zu hoch und stets Anlaß zum Familienkrach. Wehe der Hausfrau, die sich getraute, etwas anderes als Kornbrot zu kaufen.

In einem der Gärten hatten wir einen Stall, fuhr Vater fort, ohne sich darum zu kümmern, daß seine Frau schimpfte: Immer, wenn du mal was schaffen willst, gibt's Regen. Vater war an diesem naßkalten Herbsttag mit Geräten auf der Schulter hinausgegangen, das Land für den Winter umzugraben, mußte aber gleich darauf umkehren. Es goß wie aus Kübeln. Mutter sah nun die schwere Arbeit auf sich zukommen.

Vater räusperte sich, stützte seine Ellenbogen auf die Knie, hielt den Kopf in beiden Händen. Er wurde ungewohnt ruhig, als wollte er in sich hineinhorchen. Ich erzähle dir jetzt, wie ich zu meinen Hunden gekommen bin, du weißt doch, die drei schwarzen, gefährlichen Hunde, die ich in der Baubude eingeschlossen habe. Er sprach ganz leise mit mir, weil das Geschichtenerzählen so eine Sache war, von der er nicht wußte, ob sich das für einen Mann gehört.

Es geschah vor langer Zeit, lange bevor du zur Welt gekommen bist, als ich zum ersten Mal auf Montage geschickt wurde. Meine Eltern hatten viele Kinder. Sie waren arm und konnten mir nichts anderes mitgeben als drei Schafe aus unserem Stall.

Drei Schafe sind nicht das Schlechteste, dachte ich, und nahm sie mit. Überall, in den Tälern und an Flußufern, wo Brücken gebaut wurden, gab es Wiesen. Die Schafe konnten tagsüber weiden. Abends, wenn ich nach der Arbeit zu ihnen kam, trank ich ihre Milch, kuschelte mich zwischen die Tiere, ihre weiche Wolle wärmte mich, ich schlief ein und träumte herrlich.

Eines Abends, als ich wieder zu meinen Tieren zurückkehrte, trat ein Mann aus dem Wald. Er hatte drei große Hunde dabei und kam geradewegs auf mich zu. Ich betrachtete sie, ihr Fell glänzte in der untergehenden Sonne wie schwarze Seide. Da fragte der Fremde: Willst du nicht deine Schafe gegen meine Hunde eintauschen?

Was soll ich mit den Hunden? Sie wollen gefüttert werden, antwortete ich. Meine Schafe leben vom Gras, das überall wächst; sie geben Milch, die ich trinken kann, und ihre Wolle wärmt mich.

Meine Hunde, lieber Freund, sagte der Fremde, sind von ganz besonderer Art. Du wirst dein Glück damit machen. Um mich zu überzeugen, rief der fremde Mann seinen Hund Fix-wie-der-Wind. Der Hund lief fort und kam in Windeseile mit einem großen Korb voll der herrlichsten Speisen und Getränke zurück. Ich staunte und war nun dem Tausch nicht mehr abgeneigt.

Nun, sagte der Hundebesitzer, schlägst du ein? Ich schlug ein, nahm Abschied von den friedlichen Schafen und zog von nun an mit meinen Hunden von Baustelle zu Baustelle. Meine Tiere waren treu und hörten aufs Wort. Wenn mich einer übers Ohr hauen wollte, pfiff ich; im Nu standen mir meine Hunde zähnefletschend zur Seite. Meine Kameraden fürchteten sich vor ihnen. Ging es mit der Arbeit nicht recht voran, waren die Hunde zur Stelle und unterstützten mich, bis alles getan war. Häufig waren sie meine letzte Rettung, wenn eine Arbeit rechtzeitig fertig werden mußte.

Als ich wieder einmal von einer Stadt zur anderen unterwegs war, begegnete mir ein Mädchen, das von einem Diener begleitet wurde. Das Mädchen schluchzte und weinte. Warum heulst du so, fragte ich, daß man dich schon auf einen

Kilometer weit schluchzen hört? Über was hast du dich zu beklagen? Ach, jammerte das Mädchen, wischte sich die Augen, über unsere Stadt herrscht ein Drache. Jedes Jahr muß eine junge Frau geopfert werden, damit er die übrigen Menschen verschont. Dieses Jahr ist das Los auf mich gefallen. Und es begann wieder zu heulen.

Vielleicht kann ich dir helfen, tröstete ich das Mädchen, und ging, von meinen Hunden gefolgt, neben ihm her. Wir kamen an einen Berg. Schon von weitem hörten wir das Zischen und Schnauben des Lindwurms. Er wälzte sich feuerspeiend den Berg herunter, geradewegs auf das Mädchen zu, und wollte es verschlingen.

Ich rief meinen Hund ›Zerreiß-Alles‹. Das starke Tier stürzte sich auf den Drachen, zerriß ihn in tausend Stücke und fraß ihn mit Haut und Haaren. Nur die Zähne blieben übrig. Ich steckte sie in die Tasche.

Komm mit zu meinem Vater, lud mich das Mädchen ein, er ist reich und wird dich belohnen; du hast mich vor dem sicheren Tod bewahrt und die Stadt vom Drachen befreit. Ich will mich erst noch eine Weile in der Welt umsehen, entschied ich, aber in drei Jahren werde ich wiederkommen.

Als die Zeit vergangen war, kehrte ich mit meinen Hunden zurück in die Stadt. Auf dem Marktplatz sah ich, daß ein Fest gefeiert wurde, und fragte nach der Ursache der allgemeinen Freude. Erfuhr, daß heute die Tochter des reichen Mannes mit dem Mann vermählt werde, der den schrecklichen Drachen erschlagen hat. Ich wurde wütend, schalt diesen Mann einen Betrüger, der sich mit fremden Federn schmückt. Darauf wurde ich ergriffen und in ein Gefängnis mit eisernen Gittern und stählernen Türen geworfen.

Auf dem Stohsack dachte ich über mein Schicksal nach, und plötzlich glaubte ich draußen das Winseln meiner Hunde zu hören. Ich rief: ›Brech-Eisen-und-Stahl‹! Gleich darauf sah ich die Pfoten meines Hundes an den Eisenstäben vor dem Fenster. Das Gitter zerbrach, der Hund sprang in die Zelle und zerbiß die Ketten, an die ich gefesselt war. Nun war ich frei; aber es ärgerte mich, daß ein anderer den mir zustehenden Lohn bekommen sollte.

Ich befahl meinem Hund ›Fix-wie-der-Wind‹, zur Hochzeitstafel zu laufen. Er kam mit einem Tuch voll der köstlichsten Speisen zurück. In das weiße Leinen war ein Monogramm eingestickt. Der Hund hatte der Braut die Hand geleckt. Freudig begrüßte sie ihn, sie hatte ihn gleich wiedererkannt, und gab ihm Wein und Braten mit. Dann vertraute sie ihrem Vater an, daß sie damals dem Diener schwören mußte, ihn als ihren Retter auszugeben, und keiner Menschenseele das Geheimnis verraten durfte. Der Mann mit den Hunden ist fort, drohte der Diener, sage deshalb deinem Vater, daß ich den Drachen umgebracht habe. Willst du das nicht, so werfe ich dich hier in den Strom. Niemand wird nach dir fragen, denn es wird heißen, der Drache habe dich verschlungen. Sie habe vergeblich geweint und gefleht und immer wieder versucht, die Hochzeit hinauszuschieben. Nachdem drei Jahre vergangen waren, wollte der Vater sein Versprechen einlösen und sie ihrem Retter zur Frau geben.

Als der Vater die Wahrheit hörte, sandte er einen Boten und ließ mich aus dem Gefängnis holen. Der ehemalige Diener erblaßte bei meinem Anblick. Das Mädchen erkannte mich gleich wieder, auch an den Drachenzähnen, die ich noch bei mir trug, und die Hochzeit wurde gefeiert.

4

Ich gehe durch die Straßen der Innenstadt. Plötzlich vor mir ein grauer Rücken, rund geworden vom Heben schwerer Lasten. Die Arme hängen nach vorn vom gebückten Stehen, eine schmale Hutkrempe über dem Gesicht mit den Tränensäcken.

Vater! Vater! Das ist doch Vater!

Überall begegnet er mir jetzt. Auf Wegen, die er in der Zeit, als er krank und arbeitsunfähig war, in der Stadt gegangen war, kommt er mir nun entgegen. Ich sehe ihn durch das Fenster im Stehcafé eine Tasse halten und erzählen. In seiner Stammkneipe sitzt er mit dem Rücken zur Wand, hat die Eingangstür im Auge, will den Menschen, die hereinkommen, ins Gesicht sehen, will sich nicht überraschen lassen, hat gelernt, in den Blicken der Leute zu lesen. Ist mißtrauisch geworden.

Ich gehe über das alte Katzenkopfpflaster; die Tür der

Weinstube ist zugemauert, das Gasthaus am Mainzer Tor abgerissen, der Platz von einem Bretterzaun umgeben. Ich stehe vor einer Wand.

Was haben sie mit Vater gemacht, als sie das Gasthaus schlossen? Hier konnte ich ihn finden. Jedesmal, wenn ich daran vorüberging, dachte ich, jetzt sehe ich Vater wieder. Aber Vater ist tot. Er ist gestorben, und ich weiß nichts von ihm. Wenn es mir nur gelingt, das Wichtigste über ihn herauszufinden.

Vater wurde als siebtes Kind geboren. Seine älteste Schwester war erschrocken, als sie sah, daß die Mutter wieder die weite Schürze anziehen mußte und bald ein Esser mehr am Tisch sitzen würde. Die Geschwister hatten die Betten in der Wohnung unter sich aufgeteilt. So mußte der kleine Bub im ›Gräbelchen‹ zwischen Vater und Mutter schlafen, bis der älteste Bruder 1914 in den Krieg zog. Da war Vater sechs Jahre alt.

Die Eltern lebten zur Zeit seiner Geburt ständig im Streit. Sie wollten kein Kind mehr. Hermann war unser Unnötiger, sein Vater hat ihn im Zorn gemacht, klagte seine Mutter, so oft sie darauf zu sprechen kam. Ich habe dieses Kind nicht mehr gewollt, sagte sie, wenn sie von dem Jähzorn ihres Sohnes erfuhr; ich habe mich gewehrt, ihn auszutragen. In Hermann wurde mein Haß offenbar. Er natzelte* mir die Seele aus dem Leib, wollte auf alle Fragen eine Antwort haben, bohrte und nervte mich. Er war ein richtiger Herznager.

Du hast mir gerade noch gefehlt, schrie seine Mutter, hatte überhaupt keine Geduld mit dem Nachkömmling. Sie spannte Hermann schon früh in das Leben der Erwachsenen ein.

Hole Holz für den Küchenherd! Es setzte Ohrfeigen, wenn er nicht wollte. Du Herrgottdunnerkeil! Du kommst mir gerade recht! Da, hast du eine rechts, eine links und eine im voraus für all die Unarten, die noch kommen.

Ich spüre die knochigen Hände dieser spindeldürren Frau mein Lebtag auf dem Kopf, klagte Hermann später, wenn er Kopfschmerzen hatte.

Gieße die Gärten! Grabe das Land um! Füttere die Schweine! Wenn der Junge sich widersetzte, verwünschte sie ihn: Dich soll der Teufel holen! Wenn du nicht hörst, kommst du in die Hölle!

---

* nörgeln, quengeln

Man muß ihren Zorn brechen, gab Stahlwerksmutter später ihre Erfahrungen weiter, wenn sie bockige Kinder sah. Man muß sie brechen, bis sie um Schläge anhalten. Je strenger die Rute, je lieber das Kind.

Wenn ich von der Schule nach Hause kam und roch, daß meine Mutter große Wäsche hatte, erzählte Hermann, schaute ich zuerst durchs Schlüsselloch in die Küche nach ihrem Gesicht. Standen Zornfalten senkrecht auf ihrer Stirn, traute ich mich nicht hinein. Ich setzte mich auf die Treppe und wartete. Stahlwerksmutter mußte für vier Söhne und ihren Mann blaue Arbeitsanzüge waschen und bügeln, es roch ständig nach Schmierseife. Jeden Montag gingen die Männer wie aus dem Ei gepellt ins Werk. Darauf war sie stolz.

Einer ihrer Söhne war Bettnässer. War morgens das Leintuch naß, hing sie es ihm über den Kopf. So mußte er vor dem Stahlwerk auf- und abgehen. Auf diese Art und Weise wollte sie ihm das Einnässen austreiben.

Bevor sie ausging, brannte sie sich mit der Lockenschere, die sie auf der Gasflamme erhitzte und an einem Stück Zeitung ausprobierte, ob sie nicht senge, die dunklen Haare, wickelte die ausgekämmten in ein abgerissenes Stück Zeitung und steckte sie in den Herd. Wer liederlich ist, die losen Haare davonfliegen läßt, daß Vögel sie holen und ihre Nester daraus bauen, wird mit Kopfweh bestraft. Während sie sich frisierte, standen ihre spitzen Ellenbogen aus den Ärmeln, als wollten sie ihr Spiegelbild aufspießen.

Die Leute sollen nicht glauben, daß ich auf einer Wassersuppe dahergeschwommen bin, trumpfte die anderthalb Meter große Frau auf, schlüpfte in den Mantel, in die winzigen Schuhe, schaute auf dicke, behäbige Frauen, als seien sie alle Schlampen.

Ihre Enkel nannten sie Stahlwerksmutter. Sie hatte das Temperament von zwei Männern. Beim Hausputz oder der großen Wäsche ließ sie sich zum Frühstück eine Portion Hausmacher und einen Krug Bier holen, oder sie trank Rotwein mit Eidotter und Zucker verquirlt.

Die einzige Sünde, die ich einzugestehen habe, so schwor sie, ist die Lust auf starken schwarzen Kaffee. Sie leistete sich den Bohnenkaffee, ein ungeheurer Luxus für die damalige Zeit, von dem Lohn ihrer erwachsenen Kinder, den sie zu

Hause abliefern mußten, bis sie heirateten und einen eigenen Hausstand gründeten.

Dir habe ich einen Mann großgezogen, warf sie jeder zukünftigen Schwiegertochter vor, sobald einer ihrer Söhne heiraten und sein Geld für sich behalten wollte. Sie war überzeugt, daß ihr keine das Wasser reichen konnte. Mein Sohn muß seine Ordnung haben, so machte Stahlwerksmutter ihren Schwiegertöchtern die Hölle heiß, schreibe dir das hinter die Ohren.

Ihren Schwiegersöhnen erklärte sie wortreich, welch tüchtige Hausfrauen sie ihnen ausgebildet hatte.

Stahlwerksmutters Vorschriften galten in den Familien ihrer Kinder. Kam sie auf Besuch, entging ihren Nachtvogelaugen nichts, kein Korb ungebügelter Wäsche, kein durchgescheuerter Kragen am Hemd ihres Sohnes. Schon Tage zuvor wurde alles auf Hochglanz gebracht, wurden die Fenster geputzt, die Betten frisch bezogen, damit sie ja nichts auszusetzen hatte. Die Furcht muß den Wald hüten, war ihr Standpunkt. Im Alter hatte sie es geschafft, sie war als Familienoberhaupt anerkannt.

Es kam vor, schrieb Karl, daß Hermann seine letzte Schülermütze aus dem Schrank nahm, sie aufsetzte und sich vor den großen Spiegel stelle. Er erzählte von der Realschule, in die er so gerne gegangen wäre. Ich stellte in seinem Gesicht eine nie gekannte Trauer fest.

Als ich ein Kind war, begriff ich nicht, daß Vater vor Wut kochte, wenn er mir erzählte, er habe einen ehemaligen Schulkameraden getroffen. Dich kenne ich noch aus der Realschule, hatte er gesagt, und der andere hatte lächelnd geantwortet: du warst ja nur sechs Wochen dort. Vater mußte die Realschule verlassen, weil seiner Familie das Verständnis und das Geld fehlten.

Menschen wie mein Vater wurden zu allen Zeiten belehrt: Du hast zu arbeiten. Ich habe dich nur gern, wenn du arbeitest, du kannst nur essen, wenn du dafür gearbeitet hast. Später war sein einziger Vorzug, arbeiten zu können, viel zu arbeiten, mehr als andere. Er trieb sich an, immer mehr zu leisten, steigerte sich, stellte immer neue Rekorde auf.

Er übernahm den Gedanken, daß nur der zu essen und zu trinken berechtigt sei, der körperlich gearbeitet, etwas Nützliches für die Familie getan hatte. Er weigerte sich, zu glauben, daß es Menschen gab, die nichts von seiner körperlichen Arbeit hielten und ihn auslachten. Er kannte keine Scheu, in schmutziger Kleidung vor ihnen zu stehen.

Als ich Karls Brief las, verstand ich Vater: Ich mußte in der Schule gut aufpassen, viel lernen, damit auch etwas aus mir wird, schrieb Karl. Hermann überwachte meine Aufgaben. Mit meinen Schreibkünsten war er einverstanden. Aber im Rechenheft hatte ich einige Zahlenreihen zu addieren. Die Zahlen standen schräg untereinander. Hermann riß die Seiten heraus und erklärte, daß sie genau untereinanderstehen müßten, damit man beim Zusammenzählen nicht in eine andere Reihe gerät. Den guten Rat mit der Schule brachte ich damals schon in den Zusammenhang, daß Hermann so oft nach Feierabend weinend nach Hause kam. Ich glaube, die Lehre bei seinem Vater hat ihm beruflich schon etwas gebracht, aber damals spaltete sich schon ein bißchen ein anderer Hermann ab.

Nach der Schule gab es keinen Ausweg für Hermann, er mußte zu seinem Vater in die Lehre.

Großvater, der kleine, agile Mann, der als Dreiundachtzigjähriger Diamantene Hochzeit feierte und Walzer tanzte. Das größte Erlebnis in seinem Leben war eine Fahrt mit dem KdF-Schiff ›Dresden‹ in die norwegischen Fjorde. Dabei sank das Schiff, er wurde gerettet, sein Koffer ging verloren.

Nun schlägt er wieder seinen Unteroffizierston an, sagte Stahlwerksmutter, wenn Großvater sie mit seiner schnarrenden Stimme anfuhr, sein Leben lang bildet er sich ein, mein Vorgesetzter zu sein. Er drückte die Daumen gegen die Nasenwand und schneuzte sich auf den Fußboden. Lag er im Bett, spuckte er an das Fußteil des Bettgestells. Ein Wildling, behauptete Stahlwerksmutter, ein Rabauke, hat sich sein Lebtag nicht mehr geändert. Er war unter fremden Leuten aufgewachsen.

Seine Augen regierten die Kinder. Es genügte, wenn er sie ansah, schon funktionierten sie. Man hatte den Eindruck, als wollte er mit seinem Blick den Jungen die Hacken zusammen und die Hände an die Hosennaht zwingen. Auf den Familienpfiff reagierten selbst die erwachsenen Söhne. Sie rissen den Kopf herum wie auf Kommando, wußten im größten Trubel, daß dieses Signal ihnen galt, übernahmen den Pfiff und führten das gleiche Regiment in ihren eigenen Familien.

Als Großvaters Kinder klein waren, mußten jeweils zwei in einem Bett schlafen, damit er eine Stube für seine Vögel hatte. Ein Zimmer voll Baumstämme und Äste für seine Vögel, eine Wildnis. In der Stube saßen und flatterten verschiedene Arten von Finken, schrien und stritten, daß es weithin zu hören war. Die Vögel schilpten und pfiffen Großvater aus.

Wollten die Weibchen in seiner Voliere nicht brüten, packte er sie, riß ihnen rücksichtslos den Kopf ab und verbrannte die Tiere.

Der Alte stand vor dem Herd und machte die Ofentür weit auf. Der Schein der Flammen fiel in die Küche, alles darin erschien feuerrot. In der linken Hand hielt er den Vogelkörper, riß mit einem Ruck den Kopf ab und warf ihn ins Feuer. Der Vogel bewegte sich noch, wenn die Flammen über ihm zusammenschlugen. Als Kind saß Hermann auf der Bank und mußte zusehen, wie sein Vater einen Vogel nach dem anderen vernichtete. Hermann sah die Hölle, in die auch er kommen würde, wenn er seiner Mutter nicht aufs Wort gehorchte. Dieses Bild verließ ihn nicht.

Aber dein Großvater war ein korrekter Mann; er hat nie einen Tropfen Alkohol getrunken, nie geraucht, keinen Tag auf der Arbeit gefehlt. Er war rüstig bis ins hohe Alter, konnte mit über siebzig Jahren noch beweisen, was für ein vitaler Mann er war.

Im Eisenwerk galt Großvater als Respektsperson und hatte den Ruf, ein durch und durch gerechter Lehrmeister zu sein, der den Buben Zucht und Ordnung beibrachte. Er saß im Innungsausschuß und hatte bei den Gesellenprüfungen ein gewichtiges Wort mitzureden.

Eines Tages, als Lenchen, die Schwester der Stahlwerksmutter, zu Besuch gekommen war, erhielt Großvater den Brief mit der Berufung zum Schöffen.

Großvater und Stahlwerksmutter schnappten ob dieser Ehre beinahe über. Aus dem stumpigen Großvater wurde plötzlich ein Riese. Er holte tief Luft, seine Hosenträger strafften sich über dem Hemd, er zwirbelte seinen Schnurrbart und schaute wie Bismarck auf dem Bild von 1871.

Jetzt hatte er Oberwasser. Gleich kam er im Gespräch mit

seiner Schwägerin auf die Politik. Lenchen war keine Dumme; sie saß schon seit Jahren als eine der ersten Frauen für die Sozialdemokraten im Stadtrat. Im Nu hatten sich die beiden in den Haaren.

Lenchen fragte ihren Schwager prompt, auf welcher Seite er überhaupt stehe; was er für einer sei, und hielt ihm vor, daß er denselben schwarzen Anzug hurraschreiend zu Kaisers Geburtstag getragen habe, in dem er dieses Jahr am 1. Mai, mit einer Nelke geschmückt, die linke Faust geballt, durch die Stadt gezogen sei.

Großvater wurde das zuviel. Er fragte Lenchen, was hast denn du schon groß zuwege gebracht? Du bist nun schon so lange im Stadtrat, und noch nie habe ich in der Zeitung gelesen, daß du etwas gesagt hast.

Einige Jahre arbeitete Großvater über das Rentenalter hinaus in der Werkstatt seines Sohnes, bevor er zusammen mit seiner Frau als Verwalter auf einem Hofgut eingesetzt wurde. Als er mit neunundsiebzig Jahren zu keiner schweren Arbeit mehr taugte, kehrte er zurück in die Stube unter unser Dach, konnte noch seinem Enkel das Schmieden beibringen.

Du, Vater, hast ihn nur fünf Jahre überlebt, obwohl er beinahe vierzig Jahre alt war, als du geboren wurdest, ein strenger, keinen Widerspruch duldender Kaisertreuer. Wie solltest du gegen einen solchen Vater bestehen? Wie ihn übertrumpfen oder gar besiegen? Mit welchen Mitteln konntest du ihn entmachten? Nach deiner Lehrzeit hattest du beschlossen, ihm zu entkommen. Vielleicht hast du es dir nur im Unterbewußtsein gewünscht, weg von dem Vater, der Vögeln Köpfe abreißt und sie verbrennt. Das Bild vom ewigen Unteroffizier zerstören, um es nicht immer vor Augen zu haben.

Ich mußte feilen, schilderte Vater seine Lehrzeit. Feilen war meine erste Arbeit. Mit Feilen beginnt die Ausbildung eines jeden Schlosserlehrlings. Also feilte ich. Stundenlang stand ich an der gleichen Stelle, hielt die Flachfeile mit beiden Händen. Ein Strich mußte sein wie der andere. Nach dem ersten Tag hatte ich Blasen. Ich wickelte Lumpen um die rechte Hand. Der Alte kam: Du mußt gründlicher feilen! Hab ich dir nicht gesagt, ein Strich muß sein wie der andere? Kreuzstriche, wie ich sie dir gezeigt habe. Zuerst von der rechten Seite her, dann von links. Das Werkstück muß plan sein, es darf keine Buckel haben. Mach die Fetzen ab, sonst kriegst du nie das richtige Gefühl in die Hand. Ich feilte weiter, vorn ansetzen, nach hinten durchziehen, vorn ansetzen, nach hinten durchziehen. Die rechte Hand hält die Feile, die linke lenkt sie. Mir wurde schwarz vor Augen, ich taumelte vor Hunger, hielt es nicht mehr aus, drohte umzukippen.

Klemm deine Jacke in den Schraubstock, dann fällst du nicht um, wenn du den Brotdormel hast*, sagte der Alte. Ich mußte weiterfeilen. Nach einer Woche fing die rechte Hand an zu bluten. Die Haut war weg. Mach dir Öl auf die Blasen und halte deine Hand übers Feuer. Der Alte gab kein Pardon.

Er schlug die Buben unter die Werkbank, daß ihnen Hören und Sehen verging. Er war grausam, unerbittlich, wenn sie nicht spurten.

Der Brückenbau war eine Chance für dich. Entweder du gehst auf Montage oder du wirst arbeitslos, stellten dir deine Vorgesetzten vom Eisenwerk in Aussicht, als du die Gesellenprüfung hinter dir hattest. Deine Familie beratschlagte nicht lange, ob der Brückenbau wohl das Richtige für dich sei. Deine Eltern fürchteten nicht, daß du mit siebzehn noch zu jung dafür seist, auf Montage zu gehen. Das Stahlwerk war dein Zuhause. Du hattest keine andere Wahl, als diese Stelle anzunehmen.

Es wohnten viele dieser rauhen Brückenbauer in den Werkswohnungen des Eisenwerks. Die ganze Woche standen sie draußen auf der Baustelle ihren Mann. Samstags abends kamen sie heim und sahen nach dem Rechten.

Hastig packten sie aus, warfen die dreckstarrenden Klamotten in die Küche. Überhörten das Lamento ihrer Frauen. Der Tratsch mit der Nachbarin kam aufs Tapet, der Unmuß** mit den Kindern. Die Mutter hatte ihnen die ganze Woche gedroht, warte nur, wenn Vater heimkommt! Jetzt saßen die Kinder vergelstert*** auf der Bank hinterm Tisch, machten große Augen. Der Vater blieb nichts schuldig; er schrie sie aus Leibeskräften an, zog den Lederriemen aus dem Hosenbund, legte eins nach dem andern übers Knie, verdrosch sie der Reihe nach.

---

* taumeln vor Hunger
** Mühe, Ärger, Aufregung
*** eingeschüchtert, außer sich vor Schrecken

Sie heulten Rotz und Wasser, rannten zur Tür hinaus, die Treppe hinunter.

Endlich war der Mann mit seiner Frau allein. So richtig in Rage, trieb er sie in die Schlafstube. Aufs Bett mit ihr! Darauf hatte er die ganze Woche gewartet, jede Minute auf der Heimfahrt an nichts anderes gedacht. Aber jetzt gings rund.

Hinterher machte er sich auf in die Wirtschaft. Dort saßen schon ein paar Brückenbauer, hielten mit ihrem schwer verdienten Geld die Kumpels frei. Erzählten, prahlten mit ihren Abenteuern. Reichte das Selbsterlebte nicht aus, hatten sie noch die Geschichten der Alten in petto.

Auch wenn alles nicht stimmte, hundertmal übertrieben war, es reizte dich; ein Brückenbauer wolltest du werden, auf den Baustellen dabeisein, wo sie die unwahrscheinlichen Dinge erlebten. Nur zu gern glaubtest du ihren Geschichten. Endlich könntest du beweisen, wer der bessere Schlosser, wer der Stärkere ist.

Der Brückenbau gehörte dir allein, wie die Werkzeugkisten in unserem Keller, die mit schweren Vorhängeschlössern gesichert, niemandem sonst zugänglich waren. In Hämmer und Schraubenschlüssel waren die Anfangsbuchstaben deines Namens unverwechselbar eingeschlagen. Nur ab und zu nahmst du eine der schweren Zangen, eine grobe Feile heraus und machtest dich zu Hause an die Arbeit. Für mich lagen alle deine Erlebnisse vom Brückenbau bei den Werkzeugen in den Kisten.

Jahrein, jahraus lebtest du im Freien. Und monatelang nur das Holz der Pritsche, der Strohsack, der Geruch nach verschwitzten Männerkörpern, nach ungewaschenen Socken.

Wenn die Sirene pfiff, ranntet ihr zum Frühstück, zur Mittagspause, setztet euch auf die schmalen Holzbänke, an die rohen Tische oder ins Gras auf den Boden, den schweißigen Rücken an die Bretterwand der Baubude gelehnt, kauend, trinkend. Das Brot zwischen den Zähnen, lachtet ihr die Schwachen aus; das ordinäre Lachen, das jeden zum Zorn reizt. Die Schwachen ballten die Fäuste hinter den Rücken der Starken. Denen werden wir's zeigen!

Eines Tages werden sie unsere Fäuste spüren im Gesicht, zwischen den Augen. Kopfüber werden wir sie von der Brücke stoßen! Das Wasser wird über ihnen aufspritzen, zusammenklatschen.

Wieviel Zentner hebst du hoch? Wieviel packst du mit einer Hand?

In welcher Höhe kannst du noch über einen dreißig Zentimeter breiten Eisenträger balancieren? Wer stellt am schnellsten den Standenbaum* auf?

Die Alten gebährdeten sich wie Prahlhänse mit ihren Muskelpaketen, zogen das Hemd aus, zeigten ihren Körper, reizten die Jungen bis zum Wahnsinn. Nicht auszudenken, was alles geschehen wäre, wenn sich nicht plötzlich jeder auf seine Arbeit besonnen hätte.

Zwölf Jahre deines Lebens übtest du diesen Beruf aus. Zeit genug, dich einzugewöhnen. Sicher hast du zu Beginn unter Rivalität, Unterdrückung und Ungerechtigkeit gelitten. Zuerst warst du Maschinist, dann Vorarbeiter, später Kolonnenführer, zum Schluß Monteur und Montageleiter. Ich glaube, du hast dich in diesem Beruf wohlgefühlt. Die Arbeit entsprach dir. Du warst dafür geschaffen, dich mit Kraft, Lärm und Jähzorn durchzusetzen, rechthaberisch Jüngere in den Senkel zu stellen**. Du warst stolz auf deinen gesunden, robusten Körper, der dein Selbstwertgefühl stärkte. Für dich bedeutete körperliche Arbeit alles: Mit beiden Händen zupacken, sich rascher bewegen als andere, die Finger herumgehen lassen, sich schneller umdrehen.

Keiner sollte dich übertrumpfen. Sie müssen einsehen, daß sie mich brauchen, daß sie nicht ohne mich auskommen. So weit wolltest du es bringen.

Deine Entschlossenheit, deine Zuversicht, all das bestätigte dir, daß du es all den Schwächlingen, den Feiglingen, allen Tagedieben, vor allem aber den Federfuchsern und den papiernen Tagelöhnern beweisen würdest.

Du wußtest, daß man bei dieser Arbeit seinen Platz behalten mußte, nicht aus der Reihe tanzen durfte, sonst traf es den Nächsten, den Kumpel, den Freund.

Vater konnte leicht einen Zweizentnersack auf seinen Schultern in den Keller tragen. Noch schwerere Lasten, große Steine, Eisenstücke, hob er dicht an den Leib gepreßt vom Boden hoch und lud sie auf Karren.

* Behelfskran
** ins Lot bringen

Es gab noch nicht die großen Maschinen, keine Turmdreh-kräne mit langen Auslegern. Vieles an den Brücken war Handarbeit, Knochenarbeit.

Zusammenstehen wie ein Mann! Das war die Hauptsache. Er hatte es in späteren Jahren von seiner Familie immer wieder gefordert.

Ich hörte Vaters Stimme, als er später die Arbeit in der Werkstatt leitete. Seine Kommandos klingen mir noch heute in den Ohren:

Hebt an! Alle mußten auf einmal anheben. Sein Hals schwoll an, zwischen Kinn und Hals war kein Unterschied mehr zu sehen. Muskelstränge traten hervor. Das Blut stieg hoch, die Adern waren zum Platzen prall. Ich sah, wie sein sonst von Runzeln gekerbtes Gesicht rot wurde.

Hoch auf! Die Last wurde auf die Schultern gehoben. Die Augen wurden aufgerissen, es sah aus, als würden sie aus ihren Höhlen treten. Die Zähne zusammengebissen, schwer atmend, mit dem rechten Fuß beginnend, alle im gleichen Schritt, ging es vorwärts.

Laßt ab! Laut krachend wurde die Last abgeworfen. Erleichtert aufschnaufend, tief Luft schöpfend, die Hände ineinanderreibend. Ich habe Hände wie aus Eisen!

Warum bin ich nicht auf dem Brückenbau geblieben, fragte Vater, wenn er keinen Ausweg wußte. Dort gab's noch Männer, erzählte er, Männer aus echtem Schrot und Korn! Die hättest du erleben müssen! Da hat keiner eine ruhige Kugel geschoben, alle haben sie angepackt.

Ich kletterte barfuß senkrechtstehende Träger hoch; wenn ich oben war, warfen sie mir die Schuhe nach.

Wer ist am schnellsten unten? Ich nahm ein Stück Sackleinen, einen ölverschmierten Fetzen in die Hände und rutschte am derbgeflochtenen Stahlseil zehn Meter zur Erde zurück.

Ein Behelfskran wurde gestellt. Der Mast, sechs Meter lang, an Seilen vertäut, wurde von der Winde hochgezogen. Stand er aufrecht, hangelte ich mich an der Stahltrosse oder am Eisenmast hoch, klammerte mich mit den Beinen fest, machte das Hanfseil, das ich um den Leib gewickelt hatte, los, behielt ein Ende in der Hand, warf das andere hinunter. Sie banden das Schleppseil daran fest. Ich zog es hoch, legte es oben in die Kerbe, brachte den Mastwurf an, damit es nicht mehr verrutschen und ich die Rolle oder den Flaschenzug daran festbinden konnte. Keiner arbeitete genug, niemand schnell genug. Jede Minute wurde genutzt. Zieht die Seile straff!

Hau ruck! Hau ruck! erscholl das Kommando. Der Behelfskran muß festen Stand haben! Es mußte alles nach meinem Kopf gehen. Sah ich von oben, daß es unten irgendwo nicht klappte, nahm ich den Lappen aus der Tasche, sprang ans erstbeste Seil, ließ mich hinuntersausen, trieb die Männer an. Los Männer! Tempo! Tempo!

Mit dem Vorschlaghammer wurden die Nadeln in den Boden gedroschen, daß der Mast fest- und geradestand. Drauf Männer! Schlagt zu! Schlagt zu! Sie schlugen wie die Wilden die verlängerten Heringe in das Erdreich, bis die Seile straff gespannt den Standenbaum festhielten.

Wir schufteten wie die Besessenen. Die Leute spurten. Wir waren eine verschworene Gemeinschaft, auf Gedeih und Verderb aufeinander angewiesen.

Noch nicht einmal in mörderischen Wintern wurde die Arbeit eingestellt. Als Hermann, mein erster Sohn, im Januar 36 geboren wurde, kam das Telegramm auf die Baustelle ›Schlimmes Loch‹. Was liegt mir dran, wenn meine Hände am Eisen festfrieren, die Alte schickt mir ja keine Handschuhe; damit war für die knochenharten Brückenbauer, die viele Montagejahre auf dem Buckel hatten, der Winter samt Frost und Kälte abgetan. Die Feldschmiede stand aufgeschlagen, dicke Nieten wurden glühend gemacht. Es war das einzige Feuer, sich einmal aufzuwärmen. Die Nietenbuben rannten, glühende Nieten in den Eimern, zur Brücke und wieder zurück.

Manchmal hat auch einer Pech gehabt; was glaubst du, was alles passiert ist. Eines Tages saß ich rittlings auf einer Brücke und schweißte. Da zog ein fürchterliches Gewitter auf. Ich hatte es nicht kommen sehen; die ganze Zeit hielt ich den Schutzschild vor die Augen. Bis es zu regnen begann. Der Sturm peitschte mir ins Gesicht, daß es ganz heiß und rot wurde. Der Wind war so stark, daß er mich heruntergeweht hätte, wäre ich aufrecht gestanden. Ich mußte mich mit beiden Händen am Träger festhalten und langsam auf der Längspfette*zurückrutschen. Um mich herum schlugen die Blitze ein, der Donner folgte ohne Pause.

Und am Abend war bei uns immer was los! ... und darum aufgeschaut, ein neu Gerüst gebaut und dabei auf Gott vertraut! Siebzehn Brückenbauer und ein paar Schuh'! Das Brückenbauerlied, ich weiß nicht, wie oft ich es gesungen habe.

Die Zusammengehörigkeit wurde damit beschworen, die Unglücksfälle, die traurigen Ereignisse mit Wein und Bier weggespült, die Angst hinuntergeschluckt, mit lauten Stimmen der Schmerz übertönt. Das war eine Kameradschaft! Sie standen alle hinter mir wie ein Mann. Wir haben geschafft wie die Stiere! Wir haben gesoffen, daß es der Welt weh tat!

Das Brückenbauerlied wurde nicht nur gesungen, es wurde dazu in die Hände geklatscht. Der Nebenmann oder der gegenüber hob beide Hände gleichzeitig, hielt die Handflächen nach außen gerichtet. Der andere schlug dagegen. Alles wurde geteilt, die Arbeit, das Bier, die Freude und der Schmerz, die schlechte Unterkunft und das Unglück. War die Brücke fertig, wurde die Richtkrone hochgezogen.

Der Richtmeister sagte den Spruch. Wir standen Schulter an Schulter, stolz auf unser gemeinsames Werk. Die Brücke war fertig, aus Stahlträgern und Stahlplatten zusammengefügt, genietet, zusammengeschweißt, verschraubt, nach unserer Ansicht für die Ewigkeit. Sie verband die Menschen miteinander. Nun konnten sie auf kürzestem Weg zueinanderkommen.

Vater war Brückenbauer mit Leib und Seele. Er litt nicht unter der harten Arbeit bei grimmiger Kälte; das Leben in den armseligen Unterkünften machte ihm nicht viel aus; Entbehrungen nahm er nicht wahr. Seine Stimme war nur um so lauter, sein Lebenswille um so entschlossener geworden. Je mehr er sich zum Draufgänger entwickelte, um so besser konnte er sich in seinem Beruf durchsetzen.

Aber dann geschah der Unfall. Ich glaube dir, Vater, daß du keine Schuld hattest. Hundertmal hast du es dir rückwärts und vorwärts durch den Kopf gehen lassen und kamst zu keiner anderen Erkenntnis. Der Mann achtete nicht auf den

* Stahlträger

schlagenden Rammbären, der im gleichmäßigen Rhythmus die Pfähle für das Brückenfundament in die Erde rammte. Doch du hast jahrelang darunter gelitten, hast alles in dich hineingefressen. Warum, um alles in der Welt, hast du es nicht herausgeschrien: Ich bin nicht schuld!

Ich kann nichts dafür, daß der Mann unter die Dampframme lief. Du trugst schwer unter deiner Verantwortung. Nur ein einziges Mal machtest du in Andeutungen klar, wie schwer es dir fiel, das Unglück zu vergessen.

Jahrelang hast du davon geträumt, immer die Bilder vor Augen gehabt. Alle hast du angeschrien, Mutter, meine Brüder, mich. Nichtigkeiten nahmst du zum Anlaß, deinen Zorn hinauszubrüllen, daß dieser Unfall gerade auf deiner Baustelle passieren mußte. Dir Luft machen, das wolltest du.

Du hast getobt, wenn Mutter die Küche samstags putzte, anstatt freitags, wie es deine Mutter getan hatte. Wenn sie den Putzlappen um den Schrubber wickelte, statt sich zu bücken, war das Faulenzerarbeit.

Du fielst über deinen ältesten Sohn her, wenn er zu spät nach Hause kam. Du beschimpftest deinen Jüngsten, wenn er morgens nicht aufstehen und dir bei der Arbeit helfen wollte. Aber das, was dich wirklich bedrückt hat, hast du zurückgehalten.

Obwohl du jeden Tag die Tiefe unter die spürtest, Kumpels vom Stahlgerüst stürzen sahst, die fürchterlichen Unglücksfälle miterlebtest, hast du dich geweigert, vor dir selbst Angst einzugestehen. Aber ich weiß, du warst kein Mann, der dem Teufel vor die Schmiede ging, dir fehlte das Kaltschnäuzige; es überzog dich schon eine Gänsehaut, wenn du einen Stallhasen schlachten solltest, und wenn der Hund nachts anschlug, gingst du nicht vor die Tür. Alles, was dich daran hinderte, ein Brückenbauer zu sein, schobst du zur Seite; du überspieltest mit größtem Geschick jede auftauchende Abneigung. Du wolltest Monteur sein. Auf der Baustelle konntest du dich innerhalb der Gesetze, die dort herrschten, frei bewegen. Das war dir wichtig. Brückenbauer zu sein, bedeutete für dich, eine Bewährungsprobe bestanden zu haben.

Oben auf deinem Gerüst, auf deiner Brücke standest du im Wind und fühltest dich frei wie ein mächtiger Vogel. Wolltest dir am liebsten Schwingen wachsen lassen, um die Täler zu überfliegen. Aber du warst nur ein Zaunkönig, der kleinste aller heimischen Vögel, unscheinbar und graubraun, von ungemein lebhaftem Wesen und außerordentlicher Gewandtheit, der oft mitten im Winter seine verhältnismäßig kräftige Stimme ertönen läßt. Sein Nest ist meist aus Farn oder Moos, zuweilen auch aus altem Laub und Hälmchen zusammengeflochten, stets überdacht und mit engem seitlichen Eingang.

Im April 1932 wurde Vater arbeitslos. Das Arbeitsamt in der Schloßkaserne bescheinigte, daß ihm in Lohnklasse sieben eine Wochenunterstützung von 8,40 Reichsmark zustehe. Die Karte ist sorgfältig aufzubewahren. Die Kontrollmeldungen haben an den jeweils durch Aushang bekanntgegebenen Tagen und Stunden zu erfolgen. Die Kontrollzeiten sind pünktlich einzuhalten. Versäumnisse der Kontrolle ziehen den Verlust der Unterstützung nach sich. Um Arbeit wurde nachgefragt: Montag, Mittwoch, Freitag. So kann man es auf der grünen Stempelkarte lesen. In die Rubriken ist am jeweiligen Tag ein Stempel mit Datum eingedrückt. Die letzte Eintragung ist vom Juni 1933.

In dieser Zeit lernte Vater seine Frau kennen. Wenn sich einer nicht vor meinem Schalter blicken ließ, nur seine Stempelkarte um die Ecke schob und ich die dunklen, abgearbeiteten Fingernägel sah, wußte ich, daß er es war, erzählte Mutter später. Sie war Arbeitsvermittlerin am Männerschalter.

Erwerbslos! Die erste große Niederlage, die mein Vater hinnehmen mußte. Eine Schmach für ihn. Seine Welt war für ihn zusammengebrochen. Seine Arbeit nicht mehr gefragt. Mit fünfundzwanzig Jahren stand er auf der Straße. Sein Vater, der Schmied, wurde nicht entlassen. Ich kann mir nicht vorstellen, wie er diese Erniedrigung bewältigte; nur aus Erzählungen weiß ich, wie sehr er sich vor seiner zukünftigen Frau geschämt hat.

Vater wohnte noch bei seinen Eltern. Nach einem halben Jahr war es mit der Arbeitslosenunterstützung vorbei. Er versuchte mit Holzholen, Schuhebesohlen, Hoftüren- und Gartenzaunreparaturen diese Zeit zu überbrücken. Er sprach niemals darüber. Im Juni 1933 wurde er wieder als Brückenbaumonteur bei seiner alten Firma eingestellt.

In Vaters Arbeitsbuch sind drei Berufe eingetragen: Zuerst der des Werkzeugmachers, als zweiter der Brückenbaumonteur, und ab 1937 der Beruf des Werkmeisters, bevor dieses Buch wegen Einberufung zur Wehrmacht am 12. Dezember 1942 geschlossen worden ist.

5

Dicke, schwere Wolken kommen auf mich zu. Wie eine Gewitterfront stehen sie vor mir, bevor sie auf mich herabfallen. Federbetten gleich bedecken sie mich, drohen mich zu ersticken.

Es sind Fieberträume in düsteren Farben. Es gibt kein Entrinnen. Ich fürchte mich. Diesen Vorgang, den ich zu Beginn eines solchen Traumes sofort als Traum wiedererkenne, ein Alptraum von Wolkenbergen, die wieder Wolkenberge hervorbringen, und diese wieder neue und die nächsten noch einmal, bis ich beinahe bewußtlos bin. Ich mache mich klein, winzig, drücke mich flach auf die Matratze, höre auf zu atmen, damit die Wolke über mich hinwegrollt. Schweißnaß und halbtot wache ich auf. Ich reiße die Augen auf, ziehe, wie erlöst, gierig die Luft in die Lungen.

Ich war glücklich, als ich endlich ihrer Fürsorge entkommen war. Trotzdem hatte ich noch Angst. Bei allem, was ich tat, das gegen Vorschriften ging, die sie mir eingeschärft hatte, wurde ich das Gefühl nicht los, sie werde mich in den nächsten Minuten dafür bestrafen. Im Zimmer fürchtete ich, sie schaue zum Fenster, durch die schmalen Schlitze der Läden herein. Nie war ich vor ihr sicher. Im Freien glaubte ich, sie überwache jeden Schritt, jede meiner Bewegungen. Ein Stein treffe mich am Kopf, als Strafe, daß ich ihr Verbot nicht beachtete, die Grenzen, die mir Mutter gesetzt, überschritten hatte.

Versuche ich, mich dem Übergang zwischen Kindsein und Erwachsenwerden zu nähern, empfinde ich es heute noch als peinlich, mit wissenden Augen gesehen, mit verstehenden Ohren gehört zu haben, aber vom Leben der Älteren ausgeschlossen gewesen zu sein.

Zum ersten Mal hole ich zwei Bilder hervor, lege sie vor mich auf den Tisch. Nur zwei Jahre liegen zwischen den Aufnahmen. Das hier bin ich, das kindliche Konfirmandenmädchen mit Zöpfen, flachem Körper, das weiße, zusammengefaltete Taschentuch ins Gesangbuch geklemmt. Die andere, mit dauergewelltem Haar, verlegenem, unsicheren Blick, steht linkisch im selben Kleid, das über den Brüsten zu eng geworden ist, neben dem Bruder. Das ist sie, nicht ich. Hier stehe ich, das Kind, das mit dem Vater in den Wald zog, mit Jungen spielte und raufte; dort steht sie, mir bekannt, aber fremd.

Ich war an der Kreuzung angekommen, die jede Frau einmal in ihrem Leben passieren muß. Ich wehrte mich, daß mir das gleiche geschehen sollte wie allen Frauen; ich wollte nicht einsehen, was mir alle prophezeiten. Sträubte mich, bäumte mich auf. Ich will nicht, ich nicht.

Dieser ohnmächtige Zorn, als das eintrat, was ich schon eine Zeitlang ahnte. Du bist ja wahnsinnig, dich so anzustellen, sagte Mutter. Als ich das Blut sah, dachte ich, mein Körper ist gemein, mich so im Stich zu lassen, mir so etwas anzutun. Etwas in mir muß kaputtgegangen, zerrissen, zerfetzt sein. Ich fühlte mich als Opfer meines Körpers, unwissend und hilflos. Warf Badeanzug, Turnsachen, Skihose auf einen Haufen und stopfte alles in die unterste Schublade des Schrankes, schob sie zu, stand davor, wie zum Abschied, und weinte. Nun ist alles dahin, Schwimmen, Radfahren, Schlittschuhlaufen, Völkerball und Handballspielen unmöglich geworden. Ich fand mich im falschen Körper wieder. Der Körper hatte mich verraten, ich mußte büßen.

Meine unbekümmerte Zeit war vorüber. Enttäuscht zog ich mich zurück, fühlte mich auf die bloßen Körperfunktionen reduziert. Wie oft hatte ich Geisterbeschwörungen in der Nachbarschaft erlebt. Die Nachbarin hatte beim Einkochen ein weißes Bändchen um den Oberarm gebunden, damit beim Sterilisieren die Gläser zublieben. Meine Tante wußte, an bestimmten Tagen geht der Hefekuchen nicht auf; läßt man sich Dauerwellen in die Haare machen, hält die Frisur nicht.

Empört und traurig erlebte ich Stunden, in denen ich niedergeschlagen herumhing. Tagsüber wartete ich auf den Abend, die Dunkelheit, die Stille, wenn ich allein sein und meinen Gedanken nachgeben konnte. Ich suchte einen Ausweg aus diesem Durcheinander, in dem man mich zurückgelassen hatte; eine Erklärung für das, was ich nicht verstand.

Jeder wußte, nickte, deutete an, keiner redete. Damit mußt du dich abfinden, schnitt mir Mutter das Wort ab, bevor ich die Frage ausgesprochen hatte.

Da fielen mir Geschichten aus jener Zeit in der Wartenberger Mühle ein. Damals, im Frühjahr, als die Amerikaner eingezogen waren und die ersten olivgrünen Zelte im Tal aufgebaut hatten. Ein evakuiertes Mädchen hatte den größeren Kindern etwas zugeflüstert. Großes Ehrenwort, daß niemand mein Geheimnis verrät, forderte es und lockte unauffällig ins Gartenhaus hinter der Mühle. Ich weiß, so wisperte mir das Mädchen ins Ohr, was Männer und Frauen miteinander tun. Neugierig folgte ich. Buben und Mädchen saßen zwischen Körben und Spaten auf alten Säcken und lauschten; schnauften vor Aufregung, daß das kleine Fenster vom Atem beschlug. Bocken, sagte das Mädchen, und rammeln, mausen und vögeln, das machen Männer und Frauen.

Von den Tieren auf dem Bauernhof wußten wir, wie sie sich fortpflanzten. Und die Menschen taten es genauso! Tierwörter hatte das Mädchen dafür gefunden: Sie sickerten in mich ein. Trotzdem lachte ich und machte mich lustig. Von Gänsehaut überzogen und Kribbeln im Bauch, gab ich wie die anderen vor, alles schon gewußt zu haben. Keiner sollte dahinterkommen, wie bestürzt ich war. Rasch verließ ich das Kabäuschen, fürchtete, daß Mutter fragen könnte, was wir im Gartenhaus getrieben hätten. Sie hatte mir eingeredet, daß alles, was ich ihr verheimliche, außen an meiner Stirn geschrieben steht.

Mutter merkte nichts. Erst als mein Bruder die neuen Wörter nicht mehr für sich behalten konnte, ein Lied daraus machte und sang, erfuhr sie davon.

Und ich dachte an die entsetzten Gesichter der Erwachsenen, als wir die Luftballons hervorholten. Wir hatten die Präservative entdeckt, die deutsche Soldaten bei ihrem Rückzug unter einem Holzstoß versteckt hatten, und tagelang damit gespielt.

Wenn junge Frauen, die kurz zuvor noch mit mir zur Schule gegangen waren, schwanger an unserem Haus vorübergingen, sagte Mutter, schau sie dir an. Das sind schlechte Mädchen, frühreif, liederlich und verdorben. Sie haben sich weggeworfen. Komm du mir ja nicht mit einem Kind nach

Hause. Mach mir ja keine Schande! Ich betrachtete die Mädchen mit den Augen meiner Mutter und nahm mir vor, so etwas wird mir niemals passieren. Davon war ich felsenfest überzeugt.

Noch bevor ich's wußte, fühlte ich, Mutter selbst lebte unentschieden, ständig im Zwiespalt. Viele schlechte Erfahrungen hielten sie davon ab, eindeutig Stellung zu beziehen, ja zu sagen, werde eine Frau. Das Frauenleben ist das schönste. Von Geburt an hatte sie durchlebt, am eigenen Leib erfahren, was es heißt, Tochter einer unverheirateten Frau zu sein.

Mutters Zerrissenheit verwirrte mich; sie jammerte über die Hausarbeit, über die schmutzigen Schlosseranzüge, die sie jede Woche waschen und bügeln mußte. Beklagte sich über ihr Hausfrauendasein, predigte mir aber, ich solle mir einen Mann suchen und heiraten. Sie prahlte mit meinen Zeugnissen, suchte mir aber eine Lehrstelle. Mutters Standpunkt wankte, sobald sie ihn eingenommen hatte. Sie gab ihn in der nächsten Sekunde auf.

Ich entschloß mich, selbst einen Plan auszudenken, nach dem ich leben wollte, weil ich davon überzeugt war, Mutter weiß nichts über mich. Frauen, die sie mir als Beispiel hinstellte, schienen mir kein verlockendes Leben zu führen. Ich war anders, bildete ich mir ein, anders als die meisten Mädchen, die ich kannte. Ich wollte etwas lernen. Ich werde es allen zeigen. Irgendwie werde ich es schaffen, herauszukommen.

Der unwahrscheinliche Mut, den ich in diesen Jahren aufbrachte, den gewaltigen Berg vor mir zu bewältigen, stellte sich später nicht mehr ein. Dabei wußte ich nicht einmal, wie ich es anstellen sollte, etwas zu verändern. Ich hätte es niemandem erklären können, wußte nur, daß ich alles anders machen wollte.

Die Tür hinter mir schließen und mein Leben allein gestalten, dieser ungeheure Anspruch, das Gefühl, das mich keinen Augenblick verließ, daß ich es schaffen werde, komme was wolle, berauschte mich. Gedanken stiegen wie Luftballons hoch: Eines Tages werde ich frei sein, keinem untergeordnet, von niemandem reglementiert. Meine Träume halfen mir, die vor mir liegenden Jahre zu überstehen.

Der letzte Winter in der Schule: Tanzstunde. Unsere Mädchenklasse wurde von einer höheren Jungenklasse schriftlich eingeladen. Der Tanzlehrer, ein altes Männchen zwischen sechzig und siebzig, klein grauhaarig, drehte die Zeit einfach um zehn Jahre zurück. Für ihn ging's ein Jahr nach der Währungsreform dort weiter, wo er vor dem Zweiten Weltkrieg stehengeblieben war.

Ich war erst fünfzehn, die Jüngste in der Klasse, hatte immer noch meine Zöpfe, traute mich nicht, einen der jungen Männer anzusehen. Sie kamen aus dem Humanistischen Gymnasium. Wenn die ganze Klasse zum Tanzkurs geht, gehst du auch. Da kommst du gleich in die richtige Gesellschaft, entschied Mutter. Ich hatte Angst, mit einem der jungen Männer bekannt zu werden, vielleicht sogar befreundet, im schlimmsten Fall mit ihm per du.

Bleib beim Sie, riet Mutter, das Sie gibt dir die Möglichkeit, dich abzugrenzen. Durch das Sie hast du die Chance, jemand zu sein, ohne daß die anderen ergründen können, wer dahintersteckt. Außerdem, so erklärte sie, sobald ein Sie vor einem Schimpfwort steht, tut es viel weniger weh und ist auch nicht so beleidigend. Sie törichte Gans ist einfach leichter zu ertragen als du dummes Schwein. Anders das Du. Es stellt dich sofort mit deinem Gegenüber auf die gleiche Ebene, wer es auch sein mag. Es macht dich gemein, du biederst dich an. Mit dem Du gibst du dich preis und entblößt deine verwundbaren Stellen. Die Vertraulichkeit regt dazu an, offen zu sein. Man kann dich leichter durchschauen, nichts in dir bleibt verborgen. Das Du verwischt die Grenzen, verleitet zu Überschreitungen.

Zuerst hatten wir drei Stunden Anstandsunterricht, wir lernten, uns mit geschlossenen Knien zu bücken, mit bedeckten Beinen hinzusetzen, mit einem Buch auf dem Kopf aufrecht zu gehen, ein Taschentuch dem Herrn zu reichen, damit er mit der bloßen Hand die Dame nicht berührt.

Wenn ich an das Tanzen dachte, durchzuckte mich ein seltsamer Schock, als ob Elektrizität durch meinen Körper geleitet werde. Ich war froh, wenn ich krank wurde und nicht hingehen konnte, hatte Angst, mich falsch zu benehmen, war unsicher den älteren Jungen gegenüber, ließ mich nicht gern anfassen, hatte Bedenken, ihnen meine verschwitzten Hände zu reichen, fürchtete, schlecht zu riechen. Wir übten zu

Schallplattenmusik Standardtänze, Marsch, Foxtrott und Walzer nach abgezählten Schritten. Rechts und links, und eins, zwei, drei, Drehung und ein Schritt weiter zum nächsten Herrn. Schritt, Schritt, Wechselschritt und Seit und Schluß und stehenbleiben.

Während des Tanzens fiel nicht auf, wie eingeschüchtert ich war, wie armselig ich mir vorkam. Aber dann, als wir wieder auf den zwei Reihen Holzstühlen saßen, rechts die Damen, links die Herren, dahinter die weißgekalkten, fleckigen Wände, wußte ich nicht, wo ich meine rauhen, wenig gepflegten Hände verstecken sollte.

Wenn ich mich unterhalten sollte, schnürte es mir die Kehle zu. Krampfhaft suchte ich schon Stunden vorher nach einem unverfänglichen Gesprächsthema. Mein Kleiderschrank war leer, nur ein Sommerkleid hing darin. Das mußte ich jedesmal zum Tanzen anziehen, dazu die flachen Sportschuhe. Meine Mutter veränderte eines ihrer Kleider, das unter den Ärmeln durchgescheuert und schon so mürbe war, daß sich das Nähgarn und die Änderung nicht mehr lohnten.

Nur leere Ähren tragen den Kopf hoch, gab sie mir zur Antwort auf meine Klage, daß ich immer das gleiche Kleid anziehen müsse.

Später nähte die Schneiderin aus lindgrünem Gardinenstoff, den Vater im Krieg aus Frankreich geschickt hatte, ein Modell mit Schulterumhang, wie es sich Mutter bei Schauspielerinnen abgeschaut hatte.

Der Termin für den Abschlußball wurde wegen Advent und Weihnachten auf Januar verschoben. Die meisten Paare hatten sich schon gefunden, waren per du und gingen zusammen aus. Je näher der Ball rückte, um so häufiger kamen mir Bedenken. Die Angst vor den jungen Männern steigerte sich. Ich ließ mich nicht mehr nach Hause begleiten, nahm lieber einen kurzen Taschenschirm als Verteidigungswaffe mit, damit ich mich auf dem Weg gegen Aufdringliche wehren konnte.

Anfangs war ich noch überzeugt, meiner Mutter alles anvertrauen zu können, was mich beschäftigte. Aber sie enttäuschte mich. Nicht nur einmal. Immer wieder. Sie plauderte aus, was ich ihr mit der strengen Auflage, nur ja nichts weiterzusagen, erzählt hatte. Ich wurde ihr gegenüber mißtrauisch. Vor meinem Vater hielten mich Angst und das Gefühl zurück, er würde mich nicht verstehen. Diese Sprachlosigkeit machte Mutter kein Kopfzerbrechen. Sie entschied, was er erfahren durfte. Als ich bei einer Gerichtsverhandlung Zeuge sein mußte, unter der Einbildung litt, daß dies eine schlimme Sache sei, Mutter bat, sie solle um Gottes willen Vater nichts davon erzählen, fuhr er mich, als ich nach Hause kam, prompt an: So, zu einer Gerichtsverhandlung warst du vorgeladen.

Mutter respektierte kein Briefgeheimnis, sie las die Postkarten, öffnete alle Umschläge, die an mich adressiert waren, auch wenn sie wußte, daß sie von meiner französischen Brieffreundin kamen. Während ich das Zimmer verließ, durchwühlte sie meine Handtasche, stöberte im Notizkalender. Sie stocherte und bohrte in harmlosen Erlebnissen, von denen ich ihr berichtete. Ich erzählte ihr nichts mehr.

Es war wie ein Zwang, Mutter überwachte, reglementierte, kontrollierte, wollte mich bewahren.

Bleib sauber! Wirf dich nicht weg! Sei nicht leichtsinnig! ermahnte sie mich bei jedem Weggehen. Aber sie schnürte mich mit ihren Warnungen ein. Ich hatte das Wort schlecht in Geschlecht entdeckt und einen Zusammenhang mit dem verwirrenden Ausdruck Sexualität vermutet.

Das Arbeitsamt hatte mir eine Karte geschickt. Sie haben sich bei der Buchführungsorganisation als Lehrling vorzustellen. Ich biß in den sauren Apfel und ging hin. Mutter war voller Zuversicht. Jetzt mußt du deine fünf Sinne zusammennehmen, darfst Soll und Haben nicht verwechseln, mit Kreditoren und Debitoren umgehen lernen, Lohn- und Gehaltsabrechnungen machen, von Bilanzen, Gewinn- und Verlustrechnungen etwas begreifen. Da wirst du gefordert. Zum Buchführen braucht man einen klaren Kopf.

Ich konnte sofort anfangen. Man schloß mit meinen Eltern einen Lehrvertrag über zwei Jahre und zahlte mir fünfunddreißig Mark Erziehungsbeihilfe im Monat, die ich zu Hause abliefern mußte. Der gesetzliche Vertreter hat dafür Sorge zu tragen, daß der Lehrling seine Pflichten stets pünktlich und gewissenhaft erfüllt, in ordentlicher Kleidung zur Arbeit kommt und sich anständig und bescheiden benimmt. Nur einer der acht Paragraphen verpflichtete den Lehrherrn dazu, den Lehrling zu einem tüchtigen Buchführungsgehilfen heranzubilden; die übrigen sieben legten fest, zu was sich der Lehrling verpflichtete. Daß ein brauchbarer Buchführungsgehilfe aus mir werde, dazu sollten auch die Lehrer der Berufsschule beitragen.

Die gesamte Organisation war in vier winzigen Zimmern untergebracht, die im dritten Stockwerk eines Bürohauses auf der Nordseite lagen. Die Wände der Räume waren seit mehr als zehn Jahren nicht mehr getüncht worden. Vor den Fenstern im Hof standen Kastanienbäume mit ausladenden Kronen; von der Sonne sah ich selbst im Sommer nichts. Darunter waren Autos und Fahrräder geparkt.

Winzer und Großbauern waren dieser Organisation beigetreten. Buchhalter und Lehrmädchen trugen handschriftlich Einnahmen und Ausgaben in Karteiblätter ein. Durchschreibebuchführung nannte man dieses System. Alle Zahlen mußten selbstverständlich im Kopf addiert werden. Maschinen gab es keine.

Der Chef war ständig auf Reisen. Er hielt es nie lange im Büro aus. Den kahlen Längsschädel eines preußischen Offiziers, mit der ledernen Gesichtshaut und dem Schmiß auf der Wange, ich sah ihn vor mir, wenn er seine Sätze beim Diktieren zusammensuchte:

...teilen wir Ihnen mit, daß Sie Ihre Einnahmen naturgemäß versteuern müssen.

...teilen wir Ihnen mit, daß Sie Ihr Deputat naturgemäß nicht willkürlich erhöhen können.

Naturgemäß, das war sein Wort, das ihn mit dem Land und dem Bauernstand verbinden sollte. Ich hatte mir für den Ausdruck ein besonderes stenografisches Kürzel ausgedacht.

Die abgewetzte Aktenmappe aus den Vorkriegsjahren unter den Arm geklemmt, der korrekte Anzug, durchgescheuert und hundertmal aufgebügelt, sein abgegriffener Schlips unterm Hemdkragen, wenn es auch manchmal die getupfte Bluse seiner Frau zu sein schien, ging er kerzengerade in kurzen, hastigen Schritten den langen Korridor entlang und zog die Luft durch die Zähne, daß es zischte.

Er suchte unter den Großbauern neue Kunden aufzutreiben, sie steuerlich zu beraten, Zahlungstermine auf dem Finanzamt hinauszuschieben. Er verhandelte auf Liegenschaftsämtern und bei Bauernverbänden. Er war noch nicht lange bei der Organisation. War er im Außendienst, hinterließ er seine Anordnungen auf einem Zettel.

Drei Buchhalter saßen ab früh um acht auf ihrem Stuhl neben den Karteikästen. Klemmten genormte Kontoblätter über das Blaupapier auf der Metallplatte, damit sich die Zahlen auf die Journalseiten durchdrückten. Trugen kontierte Belege nach dem Datum ein. Um zwölf Uhr schraubten sie die Kappe auf den Füllfederhalter, verließen für eine Stunde das Büro; kamen kurz vor eins wieder zurück. Schrieben bis fünf Uhr Eintragungen: Bank an Kasse – Kasse an Bank. Zogen die Stirn in Falten, wenn ein Buchungsvorgang Schwierigkeiten machte; strahlten, wenn er glücklich vollzogen war.

Von Montag bis Samstag wiederholten sie Zahlen von eins bis neun und die Null; zogen mit dem Lineal auf dem gleichen Papier gerade Striche. Saßen gebückt, addierten konzentriert halbmeterlange Zahlenkolonnen auf- und abwärts. Die Lippen bewegten sich, formten tonlos die Zahlen. Ihre Augen waren stumpf auf die langen Reihen fixiert. Freude oder Traurigkeit hingen davon ab, ob die Endsummen auf den Journalblättern mit denen auf den Kontoblättern übereinstimmten. Alle Energie, alle Arbeitslust sortierten sie am Schluß mit in die Karteikästen ein.

Sie sahen nie den Bauernhof, dem sie eine Nummer gegeben hatten, überprüften dennoch seine Kassen, kontrollierten die Bankkonten, bewerteten die Vorräte auf Karteiblättern und schrieben das Quantum der neuen Ernte dazu.

Tagein, tagaus sahen die Buchhalter von ihrem Stuhl aus durchs Fenster draußen an den Bäumen die Jahreszeiten kommen und gehen. Herbst und Winter brachten Dunkelheit, das Licht wurde eingeschaltet. Im Frühjahr und Sommer war es hell, die Lampe brannte nicht.

War der Chef auf Reisen, legten die Angestellten den Federhalter früher aus der Hand und erzählten ihre Erlebnisse. Ein Buchhalter war im Zweiten Weltkrieg bei der Waffen-SS gewesen. Er kannte die packendsten Geschichten. Lehrlinge durften dabei nicht zuhören. Aber ich lauschte hinter der angelehnten Tür.

Der Feierabend wurde eine halbe Stunde früher als sonst

vorbereitet, die Schreibtische aufgeräumt, die Abdeckhaube über die Schreibmaschine gestülpt, die Toiletten aufgesucht, Hände gewaschen, Haare gekämmt.

Die Hand auf der Türklinke, erwarteten die Angestellten den ersten Glockenschlag vom nahen Kirchturm. Die Tür wurde aufgerissen, sie stürzten hinaus.

Die Zimmer waren vollgestopft. An verräucherten Wänden standen Aktenschränke bis zur Decke, drei Schreibtische waren in die Mitte geschoben, ein kleiner Tisch mit der Schreibmaschine hatte unterm Fenster seinen Platz. Es roch ungelüftet und muffig nach alten Akten, Pfeifenrauch und Schweiß, nach Käsebrot und Stempelfarbe.

Morgens holte ich die eingegangene Post ab, schlitzte die Briefe vorsichtig auf, entnahm den Inhalt und überklebte den Umschlag mit einem Stück weißen Saugpostpapiers zur Wiederverwendung. Ich war zuständig für alle Botengänge, den Frühstückseinkauf, das Besorgen von Büromaterial und wachte darüber, daß die Portokasse mit Briefmarken gefüllt war.

Mitte des Monats wurden Rundschreiben herausgegeben. Dazu mußte ich Matrizen schreiben und in der Telefonzentrale des großen Hauses auf der veralteten Maschine abziehen. Einmal ging das ältere Lehrmädchen mit, zeigte mir, wie man die Matrize richtig auf die Walze spannte, wo ich die Farbe hineingießen mußte.

Nimm nicht zuviel Farbe, sonst schmiert's. Aber auch nicht zu wenig, sonst wird's unleserlich! Es zeigte mir, in welcher Geschwindigkeit ich die Handkurbel drehen mußte. Wenn du nicht aufpaßt, zerreißt die Matrize und du kannst noch einmal von vorn anfangen. Aber beeil dich, das Rundschreiben muß heute noch raus! Das Lehrmädchen ließ mich allein.

Im kleinsten, schlauchartigen Raum, der nur als Registratur und Ablage diente, hatte man mir einen Tisch an die Wand gestellt, und einen Stuhl, der mit der Lehne an das Aktenregal stieß. Ich mußte Inventurlisten für die landwirtschaftlichen Betriebe anlegen, schrieb mit der Hand kolonnenweise die zu zählenden Geräte untereinander: Mistgabeln, Zweizinkenkarst, Kartoffelkörbe, Hacken, Holzrechen, Sensen, Sicheln, Eimer. Großbetriebe, die sich zur Buchführung bei uns entschlossen hatten, mußten dann bei der Inventur nur noch die Stückzahlen einsetzen. Ich arbeitete gegen die Zeit. An manchen Tagen brachte ich es auf zwanzig Kladden. Ich schrieb auf Vorrat, setzte sie aufeinander. Meine Kollegen sprachen vom geduldigen Arbeiten, vom langsamen, gründlichen Lernen.

Sie sagten zu mir, es ist doch egal, womit man seine Brötchen verdient. Arbeiten muß man überall; einen Chef hast du immer, da kannst du hinkommen, wo du willst. Hauptsache ist, am Ersten stimmt der Zahltag. Ich war zu neugierig, zu eifrig; dachte, die spinnen, sie haben sich angepaßt, die haben aufgegeben. Der Krieg ist an allem schuld. Sie sind zu alt, um richtig kämpfen zu können. Mir kann das nicht passieren. Ich finde mich nicht so schnell mit allem ab.

Das ältere Lehrmädchen hatte einen Freund, der in der Mittagspause kam, vor dem Fenster pfiff. Das Mädchen sprang die Treppe hinunter, sie gingen zusammen in den Park. Nach einem Monat erzählte mir das Mädchen, wie schön es mit dem Freund sei. Es brauche nie etwas zu essen, der Freund sei so süß. Wir sitzen im nahen Park auf einer Bank. Mein Freund küßt mich eine ganze Stunde, er leckt mir die Augendeckel, die Ohren, das Gesicht, den Hals. Er steckt mir die Zunge zwischen die Zähne. Das nennt man Zungenkuß. Ich war sehr erstaunt, achtete dann aber auf den Pfiff und schaute aus dem Fenster. In der Mädchenschule, aus der ich gerade kam, sprach man zwar auch über das Küssen, stellte es sich aber eher wie im Theater auf der Bühne vor.

Es wurde Herbst. Ich saß in dem dunklen Kabäuschen, hörte das Wasser in den Heizungsrohren glucksen. Der Regen tropfte einschläfernd an die Scheiben. Ich schrieb Inventurkladden. Ich langweilte mich über mich selbst. Langsam fielen mir die Augen zu. Ich schlief ein, kam wieder zu mir, erschrak, schrieb weiter, döste vor mich hin. Ich dachte, wozu hast du sechs Jahre Französisch, Mathematik, Deutsch und vier Jahre Englisch, Physik und Latein gepaukt. Ich hing auf meinem harten Bürostuhl allein in der Dämmerung. Niemand sah mich, niemand kümmerte sich um mich, und plötzlich wurde mein Kopf klar. Ich mußte hier raus. Je eher, desto besser. Mein Verstand sagte mir, hier vergilbst du wie die Akten ringsum. Nur raus, hämmerte es in mir, raus, so schnell wie möglich. Wenn ich mir vorstellte, daß ich zwei Jahre in dem dunklen Loch Mistgabeln, Kartoffelhacken, Heurechen ununterbrochen untereinanderschreiben sollte, dachte ich, daß ich in kürzester Zeit irre sein werde. Je öfter ich diesen Gedanken dachte, um so größer wurden meine Befürchtungen.

Mein Gott, sagte meine Mutter, so schlimm, wie du machst, wird es schon nicht sein. Du gewöhnst dich daran. Gut Ding will Weile haben.

In meiner Lehrzeit mußte ich mit der Schubkarre Ziegenmist aus der Stadt fahren, Schaufenster und Laden meines Lehrherrn putzen, die Strümpfe seiner Familie stopfen, erinnerte sie sich. Und ich habe genau wie du das Kaufmännische gelernt. Ich kann nicht verstehen, daß du dich so beklagst. Du hast doch einen schönen Platz. Die bezahlen dich. Es war Mutter lästig, mich schon wieder am Hals zu haben.

Und draußen vor dem kastenförmigen Bürohaus die breite Durchgangsstraße. Ständig war ich mit meinen Gedanken unterwegs. Leute stießen mit den Regenschirmen aneinander, hasteten im Licht der Straßenlampen vorbei. Omnibusse rumpelten wie von Fäden gezogen an der Oberleitung entlang; Autos fuhren durch Wasserpfützen. Ich dachte mir aus, in einem davon zu sitzen und einfach wegzufahren. Hilflos unternahm ich Versuche, die Eintönigkeit zu durchbrechen. Ich trug die versandfertigen Briefe, jeden einzeln, mit Anschrift, in ein Portobuch ein, brachte sie zur Post, kaufte Briefmarken. Während ich Besorgungen erledigte, dehnte ich die Wege aus, teilte sie ein, verließ morgens und nachmittags das Büro, bummelte durch die Stadt, an den Schaufenstern entlang, beobachtete die Menschen.

Eines Morgens traf ich Inge, eine ehemalige Klassenkameradin. Sie erzählte mir, daß sie in einem Modehaus arbeite und wie toll es dort sei. Nun richtete ich es so ein, daß ich Inge täglich traf und sie mir von den Wunderdingen erzählen konnte. Ich wurde von Tag zu Tag unzufriedener, neidischer. Bis dahin hatte ich noch nichts dazugelernt, von einzelnen Buchungsvorgängen, die man mir nebenbei erklärte, einmal abgesehen.

Bei dieser Buchführungsorganisation wollte ich meine

Lehre nicht beenden, das hatte ich mir insgeheim längst vorgenommen. Zwischen den staubigen Akten langweilte ich mich zu Tode, kam mir vor wie eine getrocknete Pflanze zwischen zwei Buchdeckeln. Jeden Tag erzählte mir Inge unwahrscheinliche Dinge von traumhaften Abendkleidern, von Hochzeitskleidern mit Schleppen und Schleiern. Ihr Chef habe ihr zum Geburtstag sogar eine Torte mit der Aufschrift ›Dem braven Kinde‹ geschenkt.

Ich war überwältigt, bedachte aber nicht, daß Inge die gleichen Gänge zur Post machte, daß sie ebenfalls Frühstück fürs Personal einkaufen mußte.

Ich beschwor Mutter, zu diesem Herrn ins Bekleidungshaus zu gehen, ihn zu fragen, ob ich nicht auch in seinem Büro arbeiten könnte. Bevor du befehlen kannst, mußt du gehorchen lernen, tat Mutter meine Bitte ab.

Es war der Geschäftsmann, der, kurz bevor ich die Schule verlassen hatte, beim Direktor meiner Schule erschienen war und nach einem Lehrmädchen gefragt hatte.

Nun ödete mich die Buchführungsorganisation jeden Tag mehr an, das eintönige Schreiben nahm kein Ende. Das Überkleben gebrauchter Kuverts wiederholte sich, das Portobuch fand ich überflüssig und lächerlich. Zu Hause jammerte ich fortgesetzt über die eintönige Büroarbeit, über die stumpfsinnige Schreiberei. Ich kam mir eingemauert vor.

Dort bleibe ich auf keinen Fall, entschied ich. Endlich hatte ich mich entschlossen, meiner Mutter klar zu machen, daß ich weiterkommen wollte. Hatte ich schon die Schule nach der Mittleren Reife verlassen müssen, wollte ich wenigstens jetzt eine ordentliche Ausbildung.

Du riskierst eine Dauerstellung, gab sie mir zu bedenken. Es ist noch kein Meister vom Himmel gefallen, fiel sie über mich her. Ich weiß gar nicht, was du willst, andere Kinder wären froh, wenn sie so einen ordentlichen Platz gefunden hätten.

Aber ich ließ mich nicht beirren, dachte, daß ich in einem Laden mit vielen Kunden mehr lernen könnte. Zuletzt drohte ich meiner Mutter, aus dem dritten Stockwerk zu springen, wenn sie nicht dafür sorgen würde, daß ich dort herauskomme.

Es war inzwischen Februar, acht Monate hatte ich in der

Buchführungsorganisation ausgehalten. Die Angestellten schickten mich in einen Schreibwarenladen, eine Bilanzkette zu kaufen. Die Verkäuferinnen dort lachten mich aus. Bilanzketten standen auf der gleichen Liste wie Stecknadelsamen und Owiedumm. Jeden Morgen, so schien es mir, ging ich wieder für einen Tag hinter Gitter. Ich hatte Angst, meine Fremdsprachen zu vergessen, und meldete mich in der Volkshochschule zu einem Englischkurs an, nahm im Stenografenverein an Übungsschreiben teil.

Vater konnte es nicht ertragen, wenn ich nach Feierabend zu Hause saß und Handarbeiten machte. Ich stecke dir all das Zeug eines schönen Tages in den Ofen! Vielleicht hätte er lieber gesehen, wenn ich, wie er, gelesen hätte. Aber meine Mutter deckte mich mit Stickvorlagen, Garn, Wolle und Nadeln ein, daß ich Abend für Abend beschäftigt war. Sie selbst machte keine Handarbeiten, rechnete mir aber vor, daß ich zumindest ein halbes Dutzend gestickter Tischdecken, genau so viele Überhandtücher, mindestens zwölf Trägerschürzen im Schrank haben müsse. Das gehört sich so, wenn du heiraten und eine gute Partie machen willst. Außerdem versuchte sie mich zu überzeugen, für meinen Bruder Kniestrümpfe aus reiner Wolle zu stricken, da er nun mal so empfindliche Füße habe und keine gekauften Strümpfe anziehen könne.

Ich sah mich gefesselt, wie auf dem Stuhl festgeleimt, den Tag über im langweiligen Büro und abends beim Sticken der Aussteuer. Mein Kopf blieb leer. Nur die Träume, daß ich es irgendwie einmal schaffen würde, hielten mich am Leben.

Was verstehen Sie unter der Abkürzung MEZ, wurde ich bei einem Berufswettkampf gefragt. Das Markenzeichen eines Handarbeitsgarnes, antwortete ich prompt. Der Begriff Mitteleuropäische Zeit unterlag dem Stickgarn.

Kurz zuvor hatte ich erfahren, wie sehr mich Bücher faszinierten; ich entdeckte darin die Antworten auf die Fragen meiner Kindheit.

Dein liebstes Buch, Thema einer Klassenarbeit in der Untersekunda: ›Der König der Bernina‹, von Jacob Christoph Heer, 1927 in der Cotta'schen Verlagsbuchhandlung erschienen, Roman aus dem schweizerischen Hochgebirge. Die Geschichte von Marcus Paltram und Cilgia Premont: Ich hole dir die Flamme vom Piz Bernina!

Ungenügend! schrieb die Lehrerin mit roter Tinte darunter, machte drei Ausrufezeichen. Trivialliteratur! Nicht Gustav Freytag ›Die Ahnen‹, nicht ›Aus dem Leben eines Taugenichts‹ von Joseph von Eichendorff, ja noch nicht einmal ›Vom Winde verweht‹. Was lest ihr denn zu Hause? fragte mich die gebildete Frau. Sie verhöhnte mich; ich war schon daran gewöhnt, schlechte Zensuren für Aufsätze einzustecken.

Fünfzehnjährig las ich Ganghofer und Heer. Eine Schulkameradin hatte mir die Bücher ausgeliehen. Ich weiß noch, daß ich während meiner Volksschulzeit meine pfälzischen Sagenheftchen dreißig-, vierzigmal gelesen hatte, ich konnte sie zum Teil auswendig. Als wir im Herbst 44 vor den Fliegerangriffen geflüchtet und in der Wartenberger Mühle untergekommen waren, hatte ich dort zimmerhohe Schränke voll christlicher Bücher durchstöbert und Briefe der Missionare gelesen, die sie aus fernen Ländern an ihre Verwandten in der Heimat geschrieben hatten. Mein Verlangen, mehr über diese Länder, über die Menschen dort zu erfahren, war unersättlich. Und nun diese Romane! Ich las sie in einem Zug. Es gab keine andere Arbeit für mich, ich konnte sonst nichts mehr tun als lesen.

Ich hatte ein eigenes Zimmer mit schrägen Wänden unterm Dach. Der weiße Schleiflackschrank mit dem ovalen Spiegel in der Tür, das Bettgestell aus Metallrohr waren mein; früher hatte alles meiner Mutter gehört.

Ich ging früh zu Bett und las: Sagt, daß ich die oberste Flamme vom unbesteigbaren Piz Bernina hole, und ich hole sie und bringe sie Euch in meinen Händen! Ich will unserem Engadin, dessen Lampe am Erlöschen ist, ein neues Licht anzünden, daß es ihm leuchte und seine Dörfer nicht in Ruinen stürzen!

Ich war Cilgia Premont. Da stand von Liebe, von Zärtlichkeit, wie Männer Frauen begehren; davon hatte ich nie vorher etwas erfahren. Daß Frauen schön sein dürfen, erfuhr ich zuerst aus Büchern. Vor meiner Lesezeit war Krieg, dann Nachkriegszeit. Frauen mußten anpacken, Kinder versorgen, hamstern gehen, Säcke schleppen, Holz hacken, radfahren, den Garten umgraben. Aber schön sein? Davon hatte nie jemand ein Sterbenswörtchen gesagt.

Eine deutsche Frau schminkt sich nicht! Man wusch sich sauber Hals und Ohren, mit Schwimmseife, wenn man welche hatte, und lernte, daß auch einfacher Sand gut ist, sich die Hände zu reinigen. Als Mädchen mußte ich Geschirr abtrocknen, einkaufen gehen, ohne etwas zu vergessen, auf jüngere Geschwister aufpassen, Küche putzen, Brand aus dem Keller holen, Feuer anmachen, die Suppe aufwärmen, Schuhe putzen.

Aber nun wollte ich auf einmal schön sein. Ich stellte mich vor den Spiegel und sah. Ich gehöre mir! Ich gehöre mir! flüsterte ich. Ich dachte es mehr, als daß ich es sagte. Ich kniete nieder und küßte im Spiegel meinen Mund. Der Atem beschlug das Glas. Ich betrachtete die Form meiner Lippen. Wieder küßte ich den Spiegel. Er war kalt. Aber mein Mund war rot und schön. Ich gehöre mir. Ich gehöre mir allein!

Du darfst mir keine Schande machen, verstehst du mich! Mach mir ja keine Schande!

Ich war von dem Buch verzaubert. Am liebsten waren mir die Versprechungen, die Treueschwüre: Ich hole dir die Sterne vom Piz Bernina. Ich legte einen Zettel hinein und las sie wieder und wieder. Ich war die Geliebte, an mich richteten sich alle Beteuerungen.

Am andern Morgen schrillte der Wecker im Schlafzimmer der Eltern. Hastig trampelte Mutter die Treppe herauf, wollte mich wecken. Das ganze Haus erzitterte unter ihren kurzen, harten Schritten. Was ist los mit dir? Es ist Zeit zum Aufstehen. Ich bin krank, sagte ich. Ich wollte nicht aufstehen.

Ich habe Fieber. Ich war entschlossen, mich nicht aus meinen Träumen reißen zu lassen. Mutter holte Vater herbei. Er stand vor meinem Bett, sah mich genau an, schaute mir in die Augen, zog mit einem Griff das Buch unter der Matratze hervor, und ehe ich etwas sagen konnte, schlug er mir ins Gesicht. Ich glaube nicht, daß er mich wegen des Lesens geschlagen hatte, sondern weil ich versucht hatte, Mutter anzulügen. Lesen bringt dich nur auf dumme Gedanken, lautete einer der Sprüche, die bei Frauen die Runde machten und bei Mutter angekommen waren.

Lesen im Liegen schadet den Augen, ein Grund, das Lesen im Bett zu verbieten. Mutter hatte mich, so lange ich mich erinnere, nie absichtlich mit Büchern zusammengebracht. Ihr war wichtiger, daß ich sie unterstützte, ihr einen Teil der Hausarbeit abnahm. Aber hinter der Glasscheibe ihres Bücherschrankes standen einige Renommierbände, die sie sich vor ihrer Ehe angeschafft hatte: Nikolaus Lenau neben den Bänden von Heinrich Heine, die Bibel, ›Das Buch von San Michele‹ von Dr. Axel Munte, und natürlich ›Mein Kampf‹, ein Geschenk des Standesamtes bei ihrer Heirat.

Ich weiß, daß Vater eine kleine Leihbücherei ausgelesen hat. Gleich nach der Währungsreform hatte eine junge Frau sie in unserem Stadtteil eingerichtet. In den Regalen standen Kriminal- und Liebesromane, ein paar Abenteuergeschichten, Bücher, wie sie die Leute aus der Siedlung gerne mochten. Vater war neugierig auf fremde Länder. Er las am liebsten Berichte über Expeditionen, Western, Bücher von Karl May, Edgar Wallace, Billy Jenkins. Er las die Bücher stapelweise. Meist begann er damit, wenn die übrige Familie schon zu Bett gegangen und es still im Haus geworden war. Morgens, ich mußte früh aufstehen, stand noch seine ausgetrunkene Bierflasche auf dem Tisch. Ich sah die Abdrücke der Flasche auf dem Wachstuch, der Aschenbecher war randvoll mit Kippen, die Asche lag verstreut. In der Küche roch es muffig, die Bücher lagen auf dem Tisch, auf Stühlen und Eckbank, halb aufgeschlagen oder auf den Boden gefallen. Vier, fünf Bücher mußten es auf einmal sein; denn Vater las nur, was ihm beim Anlesen gleich gefiel. Die Handlung muß spannend und mitreißend geschrieben sein, sagte er zu meinem Bruder, den er als Bote zur Bücherei schickte. Nach einiger Zeit gab es kein Buch in den Regalen, das er nicht ausgeliehen hatte. Manche Bücher las er zwei-, dreimal.

Vater hatte wenig Zeit für sich. Nur der Samstagabend gehörte ihm. Darauf bestand er. Die Verwandlung begann schon am Nachmittag. Er badete, stand vor dem Spiegel, schlug mit dem Rasierpinsel Schaum ins Gesicht, strich die Haut damit ein, daß nur noch die Nase und die schmalen Streifen seiner Lippen frei blieben, zog mit zwei Fingern die eine Hälfte der Gesichtshaut glatt, reckte sein Kinn nach vorn, schabte mit dem Rasiermesser von unten nach oben den Hals hinauf, am Kinn entlang, schielte dabei in den Spiegel, suchte sein Gesicht, schnitt Grimassen wie ein Clown, hielt die Haut an den Schläfen fest, rasierte vorsichtig die Wange am Ohr vorbei, tauchte das Messer ins Wasser, spülte es ab, drehte den Kopf auf die andere Seite. Seine sonnengebräunte Haut kam zum Vorschein.

Er klatschte sich Wasser ins Gesicht, prustete, trocknete sich, während er auf und ab ging, mit dem Handtuch ab. Erwartungsfroh schritt er durch die Wohnung, einen Knopf am Hemd schließend, die Hosenträger über die Schulter streifend. Ungeduldig ging er hin und her, schaute auf die Uhr, durchmaß in langen Schritten die Räume. Nahm ein Taschentuch aus der Schublade, zog im Vorübergehen die Brieftasche aus dem Alltagsrock, warf einen prüfenden Blick in den Spiegel der Garderobe, erwischte den Kamm, fuhr sich, immer noch gehend, durch die Haare, blieb kurz stehen, betrachtete sich, legte den Kamm auf die Konsole.

Während er sich umzog, ließ er seine Kleider fallen, wo er gerade ging und stand. Im Bad lagen Unterwäsche und Socken, im Schlafzimmer seine Hose, im Flur standen die Hausschuhe, in der Küche hing die Jacke über dem Stuhl.

Er sang, während er sich fertigmachte, freute sich, daß endlich der Samstag da war. Seine Frau mußte doch einsehen, wie er sich die ganze Woche abmühte, mußte ihm den Abend gönnen. Die ganze Familie war beschäftigt, bis er das Haus verlassen und die Tür hinter sich ins Schloß gezogen hatte. Hol mir mal meine Manschettenknöpfe! Bring mir mal die rote Krawatte! Wo sind denn meine blonden Schuhe?

Mutter sagte ärgerlich, blonde Schuhe gibt es nicht! Und überhaupt, du trägst die ganze Gemütlichkeit fort mit deiner Wirtshausgeherei.

Bin ich nicht ein sauberer Mannskerl, fragte er vor dem Spiegel. Er rieb sich die Hände, klatschte, pfiff, machte Witze. Lachfalten umgaben seine Augen. Über der Nasenwurzel teilte eine senkrechte Zornfalte seine Stirn. Er sah kraftvoll aus, hatte jahrein, jahraus eine leicht gerötete Haut. Was war ich doch früher ein blonder Sturmwind, propper, sauber, picobello.

Was habe ich für einen schönen Körper! So glatt! So appetitlich! Er wollte unbedingt bewundert sein. Mutter verstand das nicht, schüttelte mißbilligend den Kopf, wenn er seinem Spiegelbild glücklich zulächelte. Er prahlte mit seinen Muskelpaketen an den Oberarmen. Am liebsten hätte er Spangen getragen, damit jeder auf sie aufmerksam geworden wäre.

War er endlich fort, begann das Aufräumen. Mutter schimpfte, während sie einen Gegenstand nach dem anderen aufsammelte, die Rasierwasserflasche verschloß, die Schublade zuschob, die Schranktür zudrückte, das Licht ausschaltete und sich anschließend auf einen Stuhl fallen ließ. Ich mache jedesmal drei Kreuze, wenn er fort ist. Und dabei ärgerte sie sich, daß sie mit den Kindern zu Hause bleiben mußte.

Er liebte es, in Gasthäusern einzukehren, dort zu essen, zu trinken, mit Menschen zusammenzusitzen, mit ihnen zu disputieren. Der Alltag fiel von ihm ab. Er konnte seine Ohnmacht vergessen, seine Minderwertigkeitskomplexe wegreden.

Vater betrat die Wirtschaft, lächelte gefällig, nickte mit dem Kopf, dahin, dorthin. Von der Tür aus überschaute er den Gastraum, schaute sich um, wo seine Kumpels saßen, ging zu ihnen hin, klopfte mit der Faust auf den Tisch. Guten Abend zusammen!

Sie freuten sich, wenn er kam, strahlten ihn an: Hermann, schön, daß du da bist! Er war beliebt, gewann ohne Mühe Freunde. Setzte sich zu ihnen und erzählte, wie er mit seinen Kollegen um einen Kasten Bier gewettet hatte, daß er in Speyer von der Brücke, die gerade im Bau gewesen war, in den Rhein springen werde; wie er die Wette gewonnen, wie jeder die Bierflasche in einem Zug, ohne abzusetzen, ausgetrunken hatte. Er übertrieb nicht. In seinen Geschichten war er so, wie er hatte sein wollen. Er war immer der Kerl, der den Zweizentnermann unter den Tisch soff, hinterher mit einer Hand wieder hervorzog und auf die Beine stellte. Er liebte seine Geschichten, steigerte sich von Satz zu Satz, feuerte sich mit Übertreibungen an. Er übertrumpfte jeden, der es ihm gleichtun wollte, und strahlte, wenn die anderen Gäste mit offenen Mündern zuhörten, ihm alles als bare Münze abnahmen.

War Mutter dabei, schalt sie ihn, wenn er seine Geschichten auftischte. Du mit deinem Wirtshausgeschwafel! Mußt du dich so produzieren, fragte sie ihn vorwurfsvoll. Machst dich zum Narren!

Man muß doch die Leute ein bißchen unterhalten, war

seine Einstellung. Vater, rotköpfig, mit gelbgerauchten, kurzen, dicken Fingern, laut lachend, sich mit der flachen Hand auf die Schenkel schlagend, er ließ sich nicht beirren oder von Mutter Einhalt bieten.

Einmal, so fuhr er fort, kam ich nach einer langen, nächtlichen Bahnfahrt auf die Baustelle, hatte Durst zum Umfallen. Ich betrat die Baubude. Kalter Rauch hing im Raum, dreckiges Geschirr stand auf den Tischen. Ich suchte etwas Trinkbares. Da entdeckte ich die große Emaillekanne mit kaltem Kaffee und setzte sie an den Mund. Bei jedem Schluck stieß mir von innen etwas gegen die Lippen. Ich stellte die Kanne ab, sah nach: Eine tote Maus schwamm im Kaffee.

Er gab seine Lieder zum besten, übermütig, sentimental; hörte sich selbst gern singen, lobte sich, seinen wunderbaren Tenor. Steigerte sich in seinem Gesang, erregt, verrückt, hektisch. Vom langen Aushalten der Töne stieg ihm das Blut in den Kopf. Freunde, das Leben ist lebenswert! Erschöpft ließ er sich auf den Stuhl fallen.

Einmal saß ich dabei, als er mit seinen Freunden Karten spielte. Ein heiserer Schrei: ...Trumpf! Er schmetterte die Faust auf den Tisch. Die Biergläser zitterten, sirrten; Streichholzschachteln sprangen von der Platte, Aschenbecher hüpften. Das Münzgeld lag in einem Untersetzer vor ihm. Auf der hellen Buchenholzplatte lag keine Decke, die Karten waren leicht zu greifen. ...und Trumpf! Der Bube, das As, ein gutes Blatt, das Spiel nahm seine ganze Aufmerksamkeit in Anspruch. Den Grand mit Zweien gewinnen, Contra geben, da lebte er mit.

Ein hastiger Griff nach dem Glas. In einem Zug trank er es aus, fuhr sich mit dem Handrücken über den Mund. Ah! Er mischte die Karten schnell, teilte sie rasch wieder aus, lachte ausgelassen über einen Spaß. Nahm das Geld, das man ihm hinschob. Er winkte. Heddi, noch ein Bier!

Sie stellte das Glas vor ihn, machte einen Strich auf den Filz. Er trank es gleich an. Spielte weiter, zählte die Augen, die Stiche. Paßte auf, rechnete nach, zahlte Zehner und Fünfer zurück. Disputierte wild und laut, gestikulierte mit den Armen, brachte seine Kraftausdrücke an den Mann, freute sich unbändig, wenn er gewonnen hatte.

Heddi hatte schon die Theke geputzt, als wir aufbrachen, um nach Hause zu gehen.

Auf der anderen Straßenseite klebten junge Leute Plakate an die Litfaßsäule. Die zweite Landtagswahl nach dem Krieg stand bevor. Vater wollte unbedingt sehen, für welche Partei die Klebekolonnen unterwegs waren, und ging hinüber. Im Licht der Straßenlaterne glaubte er ein paar der Gesichter zu erkennen. Sie waren von seiner Partei. Er redete ein paar Sätze mit ihnen. Also, macht's gut, Leute, verabschiedete er sich. Wir schlugen den Heimweg ein.

Nach diesem schlimmen Krieg müssen wir alle eine christliche Partei wählen, hatte seine Frau bestimmt und wollte ihn von ihrer Idee überzeugen. Es war zu einer Auseinandersetzung zwischen ihnen gekommen.

Für mich kommen nur die Sozialdemokraten in Frage, hatte Hermann abgewehrt. Hast du nichts aus der Geschichte gelernt?

Die haben schon einmal versagt, widersprach sie.

Ich muß die Sozialdemokraten wählen, damit die Gedanken, die seit Generationen in dieser Partei weitergegeben werden, überleben. Der Schlamassel, den wir gerade hinter uns haben, darf sich nicht noch einmal wiederholen. Wenn ich daran denke, daß mein Cousin für seine Gesinnung bis 1945 im KZ gewesen war. Einmal müssen die Leute doch gescheit werden. Einmal muß es doch aufwärts gehen. Er hoffte, daß er seine Frau umstimmen könne.

Paß bloß auf, daß du dir als selbständiger Handwerker nicht das Bett verstrampelst, warnte sie ihn. Als Geschäftsmann kannst du doch nicht weiter bei deinen Sozialdemokraten bleiben.

Als ich ihn zum letzten Mal im Krankenhaus besuchte und nicht ahnen konnte, daß er am gleichen Tag noch sterben würde, er mit geschlossenen Augen bewegungslos und blaß im Bett lag, flüsterte er: Ich habe noch gewählt. Briefwahl. Die Krankenschwester hat den Brief für mich besorgt. Es war der 19. September 1965, er hatte seine Stimme rechtzeitig abgegeben.

Karl schrieb mir in einem Brief:

Zu meiner Konfirmation 1932 schenkte mir dein Vater ein Fahrrad. Stahlwerksmutter erzählte mir, daß es siebenundzwanzig Mark gekostet habe. Wenn man bedenkt, daß ein Facharbeiter in diesen Jahren etwa 30 Mark in der Woche verdiente, war das schon beachtlich. Wie sehr ich mich freute, kann ich dir gar nicht sagen. Aber dein Vater freute sich noch mehr.

Er hatte auch gleich eine Erklärung für sein Geschenk: Mein krankes Bein und der weite Weg zu meiner Lehrfirma hätten ihn dazu veranlaßt.

Die Auflage, das Rad stets zu pflegen und sauber zu halten, geschah im gleichen Tonfall wie ›Karlche, paß uff‹ oder ›Karlche, hör zu‹ oder ›so wird's gemacht‹.

Es war Sommer, als ich mit dem Rad zum Stahlwerk fuhr. Dein Vater war von einer Montagestelle auf Urlaub. An dem Fahrrad hatte ich einen Hakenkreuzwimpel angebracht. Dein Vater kam gerade die Treppe herab, sah im gleichen Augenblick den Wimpel. Blitzschnell hatte ich rechts und links Ohrfeigen, die nicht von schlechten Eltern waren. Er riß den Fetzen vom Fahrrad, steckte ihn in die Tasche, sagte zornig, daß ich ihm mit einem solchen Dreckfetzen nie mehr unter die Augen kommen solle. Er verschwand die Treppe hinauf. Ich hatte nicht den Mut, ihm zu folgen. Bei dieser Gelegenheit lernte ich zum ersten Mal einen anderen Hermann kennen. Sein Gesicht war hart, und er hatte sehr böse Augen.

Am nächsten Tag gingen wir statt zur Wirtschaft in den Wald spazieren. Er begann wie immer, wenn er sich besonders deutlich machen wollte: ›Also, Karlche, paß uff‹, der Hitler und die SA sind alles Stromer, wenn die einmal ans Ruder kommen, wird es Krieg geben.

Als wir aufs Stahlwerk zurückkamen, gab er mir zwei Bücher, eines von Heinrich Heine und von Heinrich Mann ›Der Untertan‹. Diese Bücher, besonders das von Heine, müsse ich unbedingt lesen. Ich habe es damals versucht, aber nicht verstanden. Später las ich es um so öfter.

Wenn dein Vater zu Hause war, gingen wir sonntags früh in die Stadt. Es war nach 1933. Damals zogen braune und schwarze Trupps mit Musik und Hakenkreuzfahnen durch die Stadt. Die Flagge mußte von den Straßenpassanten mit erhobener Hand gegrüßt werden. Plötzlich zerrte mich dein Vater an ein Schaufenster, bat einen Passanten um Feuer oder erkundigte sich bei irgend jemand nach der Uhrzeit.

Die Sportplatzbesuche werden mir unvergeßlich bleiben. Es war immer der gleiche Vorgang. Die zweiundzwanzig Spieler, Schieds- und Linienrichter liefen auf das Spielfeld, bauten sich in strammer Haltung in der Mitte des Spielfeldes auf und grüßten zackig mit erhobener Hand zu den Zuschauerrängen. Die Zuschauer hatten das gleiche zu tun.

Hatten wir Stehplätze, mußte sich dein Vater seine Schuhe neu schnüren. Das dauerte so lange, bis geklatscht wurde, dann war der Vorgang vorbei, und Hermann stellte sich aufrecht. Hatten wir Sitzplätze, bekam dein Vater einen derartigen Hustenanfall, stützte seinen Kopf in beide Hände, lief rot an und bekam Tränen in die Augen. Er war ein Schauspieler, reif für den Ifflandring.

6

Sein Bruder war das große Vorbild in Hermanns Leben. Er bewunderte ihn, weil er früh von zu Hause wegging; als er dem Alten zeigte, mit ihm konnte er nicht umspringen wie mit den übrigen Brüdern. Ende des Ersten Weltkrieges hatte sich der Bruder heimlich als Minensucher gemeldet und war so dem Vater entkommen, kehrte nicht mehr nach Hause zurück, versuchte auf eigenen Füßen zu stehen. Und es gelang. Er ging in die aufblühende Industriestadt am Rhein und wurde nicht arbeitslos. In der Zeit, in der andere eine Stelle suchten, gründete er ein Geschäft, machte sich selbständig. Als in den dreißiger Jahren Rolltreppen in die städtischen Kaufhäuser eingebaut wurden, war er bei den ersten, die sich nach oben tragen ließen. Wenn Hermann von ihm redete, klangen in seiner Stimme stets Hochachtung und Anerkennung.

Sein Name bedeutet Gottesgeschenk, der von Gott Gegebene, erklärte seine Mutter. Er war ihr Lieblingssohn. Sie betete für seinen Erfolg. Er hatte seinem Vater die Zähne gezeigt und mit seinem Mut die Mutter für die Unterdrückung, die sie erdulden mußte, gerächt. Nach ihrer Ansicht stand ihm alles zu, wofür ihre anderen Kinder ein Leben lang hart arbeiten mußten. In der Familie galt er als der unter dem neu aufgehenden Stern Stehende, den aufzufinden sich alle Geschwister auf den Weg machten. Kurz nach dem Zweiten Weltkrieg pilgerten sie zu ihm, baten um Lebensmittel und Tabak, damit sie nicht verhungerten. Später liehen sie Geld von ihm, um sich das erste Auto zu kaufen.

Kaum hatte sein Bruder geschrieben, glänzten Hermanns Augen. Er brauchte nicht lange zu überlegen. Er glaubte seinem Bruder aufs Wort, daß er ihn, wenn das Geschäft aufgebaut und über dem Berg sei, zum Meister machen werde, ja vielleicht, so habe er durchblicken lassen, zum Teilhaber; Hermann, der praktisch veranlagte Handwerker, er selbst der einfallsreiche Erfinder und Techniker.

1937 kündigte Hermann seine Stelle beim Eisenwerk, verließ den Brückenbau und fuhr jeden Montag in aller Herrgottsfrühe als Pendler in die Großstadt. Wohnte zusammen mit seinem Vater, der als Rentner noch mitarbeitete, den Betrieb des Sohnes aufzubauen, in einer armseligen Mansarde unterm Dach. Hermann überlegte nicht, daß er nun von seinem Lohn die Bahnfahrt bezahlen mußte. Es war ihm einerlei, daß seine Frau und die Kinder aus dem Siedlungshaus in einen Wohnblock umziehen sollten. Seine Frau überzeugte er, daß ihn sein Bruder als Angestellten einstellen, er sofort in eine bessere Krankenkasse und in die Angestelltenversicherung aufgenommen werde.

Er ist mein Bruder, ich muß zu ihm gehen. Ich will ihm helfen. Vielleicht war es auch sein Wunsch, freier zu werden, selbständig zu sein.

Ich weiß, er konnte nicht anders. Er war einer von denen, die kamen, wenn man sie rief; die gleich das Doppelte schafften, wenn man ihnen sagte, daß man sie braucht. Er war einer, dem man mit guten Worten, einem Lob alles abverlangen konnte.

Jetzt will ich es noch einmal wissen! Jetzt lohnt es sich, die Ärmel hochzukrempeln. Jetzt erst recht! Wir bauen unseren Betrieb, höre ich dich sagen. Sprachst nur von unserem Betrieb, bereit, deine Kraft, deine Erfahrung, deinen Willen einzusetzen. Wenn Hermann am Wochenende nach Hause fuhr, traf er die alten Kumpels vom Brückenbau in der Bahn.

Hermann, sagten sie, es war dein schwerster Fehler, daß du vom Brückenbau weggegangen bist. Zwei von der gleichen Farbe unter einem Dach, das gibt Krach. Er glaubte ihnen nicht, lachte sie aus.

Erst zwei Jahre später ließest du deine Familie nachkommen, nachdem du ganz sicher zu sein glaubtest, daß es mit dir und deinem Bruder gutgehen werde, und das Hin- und Herfahren zu viel Zeit in Anspruch nahm. Es war im Juni, kurz vor Ausbruch des Zweiten Weltkrieges. Die Auftragslage im Betrieb muß hervorragend gewesen sein, dein Bruder kaufte sich schon das zweite Auto und überließ dir seinen gebrauchten DKW-Meisterklasse mit dem aufklappbaren Verdeck.

Zwei- oder dreimal erlebte ich dich vor Freude singend am Steuer des Wagens, wenn du im Triumphgefühl nach Hause fuhrst, vor dem kleinen Siedlungshaus oder vor dem Stahlwerk anhieltest und auf die Hupe drücktest, damit alle Nachbarn ans Fenster rannten. Klein-Klein hat aufgehört, sagtest du. Doch dein Traum vom Auto ging schnell vorüber. Schon im September des gleichen Jahres wurden die Räder deines Wagens von der Wehrmacht beschlagnahmt. Räder müssen rollen für den Sieg, hieß die Parole, und der Spaß war vorbei.

Wir lebten in der neuen Stadt in einem fünfstöckigen Wohnblock, hatten Werner, den Vetter, der ebenfalls bei Onkel arbeitete, in unsere Dreizimmerwohnung aufgenommen. Es verging kein Sonntagvormittag, an dem du uns Kinder nicht mitnahmst in den Betrieb. Ich muß nach dem Rechten sehen, die Arbeit für kommende Woche vorbereiten.

Gelassen sah Onkel durch seine Goldrandbrille auf mich, lächelnd gab er mir die Hand. Zurückhaltend nach Kölnisch Wasser duftend, im grauen Anzug korrekt gekleidet, gewelltes, dunkelblondes Haar, sah er jünger aus als Vater, war aber acht Jahre älter. In der Figur glichen sich die Brüder. Vater konnte die abgelegten Anzüge seines Bruders tragen.

Deine Familie bekam dich auch jetzt die Woche über kaum zu Gesicht. Morgens, in aller Frühe, verließest du die Wohnung. In der Mittagspause holte ein Lehrling das Essen; abends kamst du erst lange nach Feierabend heim. Wickeltest Rippenrohre, heftetest gewelltes Metallband an Rohre, stecktest sie zu Heizbündeln zusammen. Du standest in der Schweißerkabine hinter dem dichten Vorhang, der von der Decke bis zum Boden das Abteil von der übrigen Werkstatt abtrennte, damit sich die anderen Arbeiter nicht die Augen am Lichtbogen des elektrischen Schweißgerätes verblitzten. Nirgends gab es einen Abzug für giftige Dämpfe, keine Ventilatoren, die die bleigeschwängerte Luft wegbliesen. Du klopftest mit dem Hammer die Schweißnähte ab, prüftest die Dichte und die Haltbarkeit.

Dann kam Pfingsten. Es war ein herrlicher Tag, die Sonne schien wie lange nicht mehr. Mutter hatte uns weiße Kniestrümpfe angezogen, als wir zu Besuch auf den Hof fuhren.

Ja, hatte Vater eines Abends, als er nach Hause kam, gesagt, da schaut ihr, mein Bruder sorgt für die Familie. Er hat einen Bauernhof angeschafft. Wie ein Signal wirkte diese Nachricht auf Mutter, sie platzte beinahe vor Neugier, den Hof zu besichtigen, die Felder zu begutachten, Scheunen und Ställe zu sehen. Wir fühlten uns wie Königskinder, als uns Vater über die Holzbrücke hinüber in den Wald führte. Für einen Tag konnten wir den Krieg, die Bombennächte in der Stadt und die Rationen, die uns auf die Lebensmittelkarten zugeteilt wurden, vergessen. Der Bach unter uns glänzte in der Morgensonne; Pappeln wuchsen an den Ufern. Eine Gänseherde verwehrte uns den Zutritt zum Park, Vater vertrieb sie.

Im Nadelholzdickicht zeigte er uns das Hexenhaus mit rotem Ziegeldach, nur mannshoch, aber mit Tür und Fenster, richtig zum Hineingehen und Darinspielen. In aufklappbaren Bänken lagen allerlei Spielzeuge. Wir gingen weiter. Plötzlich standen wir mitten im Park vor einem flachen Barhaus. Als wir die Tür vorsichtig öffneten, leuchteten drinnen rot- und schwarzlackierte Möbel. Im Wandspiegel hinter dem Bartresen sah ich Vaters glückstrahlendes Gesicht. Seht her, so schien sein Lächeln zu sagen, wofür wir gearbeitet haben. Ist das nicht ein prachtvoller Besitz? Kann man sich einen schöneren Platz ausdenken, um sich zu erholen? Einen ruhigeren Ort finden, wo Kinder spielen können? Hier sind wir vor den Fliegerangriffen und den Bomben in Sicherheit. Schaut, unsere Mühe hat sich doch gelohnt. Auch meine Arbeit hat dazu beigetragen, diesen Hof, samt Garten, Park, Wiesen und Feldern, anzuschaffen.

Hatte sein Bruder nicht gesagt, der Bauernhof ist für die ganze Familie? Jetzt im Krieg, wo das Geld reichlicher floß, mußte man sehen, daß man etwas dafür fand.

Wir liefen über die Wiese, kamen zum gekachelten Schwimmbecken, sanft fiel es zur tiefsten Stelle hin ab. Nein, so etwas hatten wir noch nicht gesehen! Durch kniehohes

Gras setzten wir unseren Weg fort, kamen zum Windrad, das über die Wipfel der Kiefern hinausragte.

Wie stolz du auf deinen Bruder warst. Man sah es dir an der Nase an, so strecktest du sie in die Höhe und atmetest den frischen Grasduft. Wie das Windrad, in dessen Metallblättern sich die Sonne spiegelte, schnurrte und surrte.

Mutter kam über die Wiese gelaufen. Sie war ganz außer Atem. Stell dir vor, sagte sie, der Kuhstall ist innen weiß gekachelt. So etwas gab es auf den Höfen ihrer Verwandten nicht.

Das Essen nahmen wir am Ausziehtisch im holzgetäfelten Herrenzimmer ein. Zum Mittag waren noch angesehene Leute gekommen, Steuerberater und Ingenieure. Stahlwerksmutter ließ das Wort Ingenieur auf der Zunge zergehen, wiederholte es ein paarmal, labte sich an dem ungewohnten Ausdruck, an dem Zusammenklang der Vokale. Wir setzten uns neben die wichtigen Gäste und schauten zu ihnen hoch.

Stahlwerksmutter gefiel sich als Herrin auf dem Hofgut. Die Großeltern waren vom Stahlwerk hierher gezogen. Unser Sohn hat sich einen Erdteil gekauft, versuchten sie ihren Nachbarn, mit denen sie fünfzig Jahre unter einem Dach gelebt hatten, ihren Wegzug plausibel zu machen. Im Sinne ihres Sohnes beaufsichtigten sie nun den Verwalter, pflegten den Garten, die Pfirsichbäume, die Spargelanlage und den Park. Mit seinen siebzig Jahren war es für Großvater ein Spaß, Schweine zu züchten, das Federvieh zu betreuen. Er besaß jetzt eine Flinte, mit der er das Raubzeug kurzhielt und Habichte, die über dem Hühnerpferch kreisten, abschoß.

Wir glaubten zu träumen, als wir Pferde mit Fohlen und Kühe mit Kälbern in den Ställen entdeckten. Eine Kutsche stand in der Remise. Die Katze sprang über den gepflasterten Hof, wir liefen hinterher durch die Futterküche bis zu den Kaninchenställen. Am Abend wollten wir nicht mehr zurück in die Stadt, in den vierten Stock des Wohnblocks, aus dem wir beinahe jede Nacht vor den Fliegerangriffen in den bedrückend engen Keller flüchten mußten und vor Angst zitterten.

Auf dem Heimweg blieb Mutter merkwürdig still. Vater wußte genau, was sie dachte. Nun, was meinst du zu dem, was wir heute gesehen haben, fragte er.

Dies ist kein gewöhnlicher Bauernhof, eher ein Landsitz, sagte sie, und du kannst sehen, wo du bleibst.

Vater schwieg. Es schien, als denke er über das Wort Besitz nach. Dennoch widersprach er. Da täuschst du dich gewaltig in meinem Bruder. Er hat diesen Hof angeschafft, daß wir alle einen Platz haben, wo wir Ferien machen können. Und wenn der Krieg schlimmer wird und noch mehr Bomben fallen, können wir uns hier verkriechen und werden sicher sein.

Sie zog die Augenbrauen hoch, was soviel bedeuten sollte, wie, warten wir's ab.

Vater glaubte an seinen Bruder, an das, was er ihm versprochen hatte. Das war die Idee, für die er Tag und Nacht gearbeitet hatte. Wie ein Besessener, sagte Mutter, wie ein Verrückter hat er seine Knochen hingehalten, nur in dem Gedanken an den Betrieb. Zusammenstehen wie ein Mann und sich den Erfolg teilen, die Parole vom Brückenbau hatte ihn nicht verlassen. Etwas anderes konnte er sich nicht vorstellen.

Politik, für Vater waren das Gespräche mit seinen Arbeitsgefährten, und er gab seine Erwartung nicht auf, daß der Hitler mitsamt seinem Krieg bald ein Ende finden würde.

Vater trat stets für die Arbeiter ein, auch für die polnischen und französischen Gefangenen, die er morgens in einem Lager abholen und abends wieder dorthin zurückbringen mußte.

Seinen wortlosen Protest gegen das heftige Zureden seiner Frau, endlich den Aufnahmeantrag für die nationalsozialistische Partei auszufüllen, durchbrach er nur, wenn er einen getrunken hatte, nach Hause kam und sang. Dann hielt ihn nichts davon ab, die Internationale anzustimmen, alle Strophen herunterzusingen. Vater fühlte sich in dem Augenblick stark und widerstandsfähig, sagte zu seiner Frau, den Aufnahmeantrag kannst du dir auf den Abtritt hängen oder besser gleich in den Ofen stecken, das ist mir egal. Die Partei der braunen Bonzen kommt für mich nicht in Frage, die am allerwenigsten, und wenn du dich auf den Kopf stellst. Sofort kam er auf seinen Schwager zu sprechen, den Stahlhelmer, auf dessen Vorliebe für ›den Schlag aus der Feldküche‹. Jeder wußte, wer gemeint war.

Einmal brach Vater in Raserei aus. Vielleicht trieb er sich selbst dazu an, um in Mutter einen Schock auszulösen. Er schrie sie an, schüttelte sie an der Schulter, als sie ihm wieder einmal in den Ohren gelegen und ihn gewarnt hatte, die UK-

Stellung durch seinen Bruder biete nur einen gewissen Schutz, er müsse dringend in die Partei eintreten. Davon wollte er nichts wissen. Im Gegenteil, sie mußte an dem dunkelblauen Arbeitsfrontanzug sämtliche Knöpfe mit dem Zahnrademblem abtrennen und durch neutrale ersetzen.

Aus Angst, man könnte auf ihren widerspenstigen Mann aufmerksam werden, spendete Mutter bei jeder Sammlung des Winterhilfswerkes, kaufte angebotene Anstecknadeln, phosphoreszierende Abzeichen und warf Münzen in jede Sammelbüchse, die man ihr unter die Nase hielt.

Im Juni zweiundvierzig hatte Vater die Meisterprüfung im Maschinenschlosserhandwerk bestanden. Er hatte sie geschafft, obwohl in der kleinen Wohnung drei Kinder, das älteste sieben, das jüngste ein Jahr alt, und der achtzehnjährige Neffe um ihn herumtobten. In der Wohnung darüber lebte eine Familie mit zwei Buben, der Mann, ein Orchestermusiker, übte jeden Tag Trompete und Posaune. Nachts heulten Luftschutzsirenen.

Vater hatte sich nur in Abendkursen und samstags vormittags auf die Meisterprüfung vorbereiten können; tagsüber ging er wie gewohnt zur Arbeit. Aber nun hatte er die Prüfung bestanden. Er war stolz auf seine Leistung, besaß das Recht zur selbständigen Führung eines Handwerksbetriebs, durfte Lehrlinge ausbilden und den Meistertitel führen.

Er glaubte, daß er als anerkannter Schlossermeister nun mit Fug und Recht eingesetzt werde. Aber sein Bruder reagierte überhaupt nicht, als Vater den Meisterbrief auf den Tisch legte.

Kein Anzeichen deutete darauf hin, daß er dich als Handwerksmeister akzeptierte. Da wurdest du krank. Du konntest einfach nicht glauben, daß dein Bruder nicht Wort halten werde. Mutters Vorwürfe, du hättest ihm nur die Hasen in die Küche getrieben, er habe es von vornherein nur auf deine Arbeitskraft abgesehen gehabt, und du seiest ihm auf den Leim gegangen, wehrtest du ab. Auch dann noch. Du wolltest nicht wahrhaben, was nicht länger zu verheimlichen war.

Zuerst waren es nur Schlafstörungen, unter denen du gelitten hast. Dann verkrampfte sich dein Gesicht, selbst beim Lachen fielen deine Gesichtsmuskeln zusammen. Plötzlich bekamst du Anfälle. Zuckend lagst du auf dem Kanapee, hattest keine Kontrolle über Arme und Beine, deine Augenlider waren geschlossen, das Gesicht zur Grimasse verzerrt, versuchtest du, aus eigener Kraft den Anfall zu überwinden. Es gelang dir nicht. Mutter schob ihren Arm unter deinen Rükken und holte dich hoch, damit du zu dir kamst. War sie nicht da, nahmen wir dich bei der Hand und schüttelten dich, riefen dich beim Namen, daß du aus dem Anfall wieder erwachen solltest. Schrien aus Angst, daß du vor unseren Augen sterben könntest. Du warst kränker, als du zugeben konntest. Zuerst sagten die Ärzte, es sei eine Art Schlafkrankheit. Während du eine Leiter hochstiegst, wurdest du auf halber Höhe von einem Anfall überrascht.

Alle möglichen Unfälle wurden in Betracht gezogen, Stürze aus deiner Jugend von der Treppe im Stahlwerk; ein Beinbruch beim Fußballspielen sollte die Krankheit ausgelöst haben. Der Brückenbau mit seinen harten Arbeitsbedingungen wurde ins Feld geführt. Aber in Wirklichkeit konnten die Ärzte nicht herausfinden, wo diese seltsame Krankheit herrührte. Sie untersuchten und röntgten dich, behielten dich zur Beobachtung im Krankenhaus. Das Punktieren der Wirbelsäule sei der letzte Ausweg, um die Ursache herauszufinden, erklärten die Ärzte. Mutter wußte, daß es lebensgefährlich war, das Rückgrat zu punktieren, und befürchtete, daß eine Lähmung eintreten könnte. Sie hatte in der Nacht vor dem Eingriff einen unheimlichen Traum, träumte, daß deine Beine versagen und du nicht mehr stehen könntest.

Die Ärzte entnahmen Nervenwasser, untersuchten es im Labor, aber die Ursache deiner Krankheit fanden sie nicht. Sie rätselten herum und beschlossen, als ihnen sonst nichts mehr einfiel, sie Narkolepsie zu nennen, und entließen dich.

Dein Bruder warf dir vor, daß du deine Krankheit selbst verschuldet hättest. Sie käme vom Alkohol, und von nichts anderem, den du auf dem Brückenbau im Übermaß genossen hättest. Es war eine Nervenkrankheit. Aber waren es nicht auch die hinuntergeschluckten Demütigungen, die maßlosen Enttäuschungen, die du nicht länger ertragen konntest?

Dann, als dir niemand mehr helfen konnte, als du keinen anderen Ausweg mehr wußtest und es dir wieder nicht gelang, deinen angestauten Ärger, deine Wut in Worte zu fassen, dich mit deinem Bruder im Gespräch auseinanderzusetzen, da schlugst du um dich. Da ließest du dich zu einer unbesonnenen und folgenschweren Tat hinreißen. Du nahmst die Fäuste an Stelle von Worten. Sie wälzten sich wie zwei ineinanderverbissene Hunde auf dem Erdboden, erzählte man.

Briefe, die eure Mutter schrieb, enthielten stets Lob und Verständnis für ihren Lieblingssohn, Ermahnungen für Hermann. Lieber Hermann, schrieb sie, wie konnte das so weit kommen? Warum treibt man alles auf die Spitze, findet kein ausgleichendes Wort? Es ist so schwer für eine Mutter, zwischen zwei erwachsenen Söhnen Recht zu sprechen. Hermann, du bist im Zorn so unberechenbar wie der andere in seinem Stolz und Größenwahn. Er hat dich für deine Mühe und Aufopferung gut bezahlt. Überall muß man, wenn man nicht selbst ein Geschäft hat, für einen anderen arbeiten. Dir, lieber Hermann, fällt es ja nicht schwer, zu verzeihen, ein gutes Wort zu geben. Geh, tue es, Deiner Familie und mir zuliebe. Es ist schwerer Krieg, niemand kann aus sich heraus. Sieh mal, Dein Bruder ist halt ein Geschäftsmann und muß auch ganz schön die Ohren steifhalten. Nimm doch Vernunft an!

Bis dahin hatte dich dein Bruder wegen kriegswichtiger Aufträge unabkömmlich stellen lassen. Dann scheute er sich nicht, dich zu entlassen. Zwölf Tage vor Weihnachten setzte er dich auf die Straße. Du standest, Vater von drei Kindern, vor dem Nichts, der Tatsache gegenwärtig, daß du jederzeit zur Wehrmacht eingezogen werden wirst. Aber insgeheim hofftest du, daß dich das Militär wegen deiner schweren Krankheit nicht holen würde.

Mutter beklagte sich bei ihrer Schwiegermutter. Sie fragte, wie ihr Sohn vor seinem Gewissen verantworten könnte, Hermann, den Vater ihrer Kinder, entlassen zu haben, wo es doch auf der Hand liege, daß er sofort in den Krieg müsse und es nicht auszuschließen sei, daß er falle.

Da erzählte ihr Stahlwerksmutter zum Trost die Geschichte von Uria, dem Heerführer König Davids, der selbst den Brief des Königs überbringen mußte, daß man ihn, Uria, im Krieg an die vorderste Linie schicke, wo er falle.

In des Königs Brief sei zu lesen gewesen: Stellet Uria in den Streit, da er am härtesten ist, und wendet euch von ihm ab, daß er erschlagen werde und sterbe. Und Stahlwerksmutter erzählte die Geschichte zu Ende: Der Herr habe den weisen Propheten Nathan zu König David gesandt, um ihn zur Rede zu stellen. Da habe der König schließlich seine Schuld eingesehen und bereut. Und der Herr vergab König David seine schwere Sünde.

Sie ließen Vater noch eineinhalb Monate, bevor sie ihn zum Kriegsdienst befahlen. An das Weihnachtsfest kann ich mich nicht mehr erinnern, an kein Bäumchen, an keine Geschenke. Es muß ein sehr stilles, vielleicht ein trauriges Fest gewesen sein, daß ich es vollkommen aus meinem Gedächtnis gestrichen habe.

Ich weiß nur noch, daß sich Vater in dieser kurzen Zeit bemühte, einen Raum zu finden, um einen eigenen Handwerksbetrieb aufzumachen. Er hatte gerade damit begonnen, eine Werkstatt einzurichten, da kam der Gestellungsbefehl. Trotz seiner Krankheit hatten sie ihn einberufen. Seinen ersten Feldpostbrief schrieb er Mitte März 43:

Wir sind vereidigt worden und somit vollkommen der Willkür dieser Unmenschen ausgesetzt. Von mir ganz abgesehen, ich strenge mich an, ihren Anforderungen einigermaßen gerecht zu werden, aber die anderen armen Teufel. Es gibt keinen Ausdruck, der ihnen gemein genug wäre. Dabei sind wir lauter Leute in meinem Alter, die Ausbilder lauter zwanzigjährige Jungs. Jede Ansprache gipfelt in den Worten, bei Preußens gibt's das nicht! Bei mir im Zimmer warf ein solcher Grünschnabel einen Schemel nach einem sechsunddreißig Jahre alten Mann. Dabei mußte er ruhig bleiben und den Mund halten.

Gestern war Ausgang; vornher ein Gefreiter und ein Unteroffizier, hintennach die Hämmel, ein jeder fußkrank, und so humpelten wir über die Straße. Die Leute haben gelacht. Dabei soll der Dienst ab Montag noch strenger werden. Kaum denkbar, aber du glaubst nicht, was ein Mensch unter diesem Zwang leistet. Der Dank an uns Rüstungsarbeiter lautet: Ihr Schweine habt euch vier Jahre vollgefressen. Gebe diesen Brief niemandem zu lesen, aber es kommt mir hoch. Heute Sonntag, klar, daß viel Besuch da war. Es mußten viele arme Teufel unter den Augen ihrer Angehörigen im Kasernenhof rummarschieren, weil das Singen nicht klappte. Dabei haben wir noch kein Lied gelernt. Ich würde nicht fertig mit dem Aufzählen der Demütigungen und der Anpöbeleien, wenn ich alle schildern wollte. Ich möchte nicht, daß du kommst. Du hättest das zweifelhafte Vergnügen, zu sehen, wie ich von Ecke zu Ecke renne.

Anfang April schrieb Vater: Abgenommen habe ich soviel, daß mein Koppel viel zu weit geworden ist. Vom Dienst will ich wenig schreiben, er ist traurig genug. Beim Schießen habe ich alles erfüllt, bis auf eine Übung, infolge der Brüllerei. Dafür mußte ich mit meinen Kameraden nachexerzieren. Was das war, kann ich kaum schildern.

Es möge dir genügen, daß ein Kamerad umkippte und ein anderer weinte. Aber so weit waren wir alle. Damit erweckt man kein Mitgefühl. Gleich am Anfang, als wir hier ankamen, sagte ein Leutnant, weil so viele Kranke dabei waren, wir wären dieselben Gesichter, die im November 1918 die Revolution verursacht hätten. Wir hätten uns vier Jahre den Bauch vollgefressen und das große Wort zu Hause geführt.

Schön, gelt? Entsprechend ist unsere Begeisterung. Ich habe keine Minute im Dienst versäumt, obwohl vor einer Nachtübung mein Fuß aufgeschnitten wurde, weil Eiter unter der Hornhaut war. Wer sich krank meldet, ist ein Drückeberger, egal, und wenn man den Kopf unterm Arm hat. Es würde zu weit führen, wollte ich dir Einzelheiten schildern. Aber soviel sei gesagt, die Kameraden wollen alle, aber die alten Knochen, krumm und lahm geschafft, gehen halt nicht mehr so, und das verstehen die jungen Ausbilder nicht...

Ich hatte bei zwei Schüssen mit der Pistole zwei Treffer; mit dem Karabiner fünfundzwanzig Ringe. Zum Dank für diese Leistung mußte ich zwanzig Kniebeugen machen wegen verkehrten Meldens. Gestern, Samstag, Nachtmarsch über dreißig Kilometer. Das war die Höhe. Die Masse Mensch will wohl noch, aber das Fleisch läßt nach. Meine Füße sahen grausam aus. Ich mußte zum Sanitäter, die Blasen aufschneiden lassen. Mein Körper ist wie zerschlagen, und es gibt keinen Teil an mir, der nicht wehtut. Trotzdem mache ich Dienst. Ich studiere mich selbst, je größer die körperlichen Anstrengungen sind, desto weniger Anfälle habe ich. Ich könnte mich leicht krank melden. Aber damit weiß ich meine Leistungsgrenze nicht.

Sogar, was wir heimschreiben, will man beeinflussen. Na,

wir beide wissen, wie es steht, waren schon immer der gleichen Meinung, und daß wir diese für uns harte Zeit erfolg-
reich bestehen müssen, haben wir schon früher gewußt. Es
braucht für uns alte Rekruten nur ein freundliches Wort, und
schon berichten wir, wie gut es uns geht und wie anständig die
Behandlung ist.

Aber... Unsere Generation hat bestimmt noch nichts
Schönes gehabt. Ich erinnere dich, als wir heirateten. Du
weißt es. Und jetzt in dieser harten Zeit verstehe ich nicht,
daß Leute, die diese Zeiten hinter sich gebracht haben, sich
nun gegenseitig das Leben schwer machen. Wohl ist Dienst
Dienst und Schnaps ist Schnaps, aber Verständnis ist zugleich
Geist.

Über meine Anfälle habe ich schon häufig genug Meldung
gemacht, aber es interessiert sie überhaupt nicht... Wie du
weißt, sind wir eine Lehrkompanie, und hauptsächlich wird
Fahrunterricht auf allen Fahrzeugen erteilt. Ich habe nun die
Panzer-, Personenwagen- und Lastwagenprüfung hinter
mich gebracht. Es fehlt mir noch der Motorradführerschein;
daran komme ich jetzt. Ich habe mit meiner Fahrschule guten
Erfolg, fahre jeden Wagen und beherrsche ihn auch. Infolge-
dessen habe ich so manche Vergünstigung ...

Mein Kopf ist nicht in Ordnung. Eben hatte ich mich etwas
hingelegt, und schon hatte ich so einen Anfall wie früher. Es
kann sein, daß das vom Motorradfahren kommt. Wir müssen
da allerhand leisten im Gelände und im Wald. Möglich, daß
die Erschütterungen daran schuld sind, daß ich so häufig Anfälle bekomme. Ich brauche halt die Prüfungen für meine
Ausbildung als KFZ-Meister, sonst würde ich nicht weitermachen. An steilen Wegböschungen hochfahren, ist ja auch
nicht jedermanns Sache. Endlich ist am kommenden Freitag
Prüfung. –

7

Wir umarmten ihn nicht, wie er so dastand, sein Fahrrad an
der Lenkstange hielt und lächelte. Wir hatten ihn früher auch
niemals umarmt. Ich schämte mich und stand verlegen
herum, weil ich ihn nicht umarmen konnte, auch diesmal

nicht, als er heimgekommen war, abgekämpft, enttäuscht, zusammengeschrumpft, klein.

Wir hatten uns auf ihn gefreut, wie auf ein Fest, auf Weihnachten oder auf den nächsten Geburtstag. Und alle Sätze in den Unterhaltungen am Tisch begannen: Wenn Vater wieder da ist, wenn er erst daheim ist, wenn Vater wieder bei uns ist.

Ich kann mich noch genau an sein Gesicht erinnern. Verhaltene Herzlichkeit ging von ihm aus, Freude über die geglückte Heimkehr. Er war mager geworden, so dünn wie nie zuvor. Die Klamotten hingen an ihm, er hinkte leicht; die Haare von der Sonne ausgeblichen, wie früher auf dem Brückenbau, schon mit Ansätzen von Geheimratsecken, aber immer noch dicht; die straffe Haut fleischlos über die vorstehenden Wangenknochen gespannt. Ich sah alles in seinem Gesicht, was er mitgemacht hatte, worüber er nicht reden wollte.

Er sah von einem zum andern; seine Augen schienen mir weicher als sonst, etwas wäßrig. Er betrachtete jeden von uns mit Besitzerstolz. Aber er wußte nicht, was er mit seiner Liebe, die sich auf den Wegen durch Frankreich, auf jedem Kilometer, den er in die Pfalz gefahren war, angestaut hatte, jetzt anfangen sollte. Hilflos vor Freude standen wir uns gegenüber und sagten nichts. Er war wieder da.

Meine Brüder mußten von nun an zu zweit in einem Bett schlafen. Mutter hatte bisher alles allein geregelt, ihr Kommando war für uns maßgebend. Wir hörten nur auf sie. Sie hatte es uns längst beigebracht mit Ferdinand, dem Rohrstock, der oben im Zwiebelkorb neben der Gasleitung stand.

Einen Vater, der sich den ganzen Tag zu Hause aufhielt, waren wir nicht gewohnt. Wir stellten keine Fragen an ihn, hatten keine Bitten. Was er sagte, bekam erst Bedeutung, wenn Mutter zustimmte.

Er konnte schlecht laufen, sein rechter Unterschenkel schimmerte dunkelviolett, war aufgesprungen und eiterte.

Er war entsetzt, als er auf der Speyer gegenüberliegenden Rheinseite angekommen war und erfuhr, daß alle Brücken zerstört worden waren. Er konnte es nicht glauben. Wollte nicht wahrhaben, daß vieles, was er mitgeschaffen hatte, vernichtet worden war.

Auch später, wenn er unter einer Autobahnbrücke durchkam, sah er nach oben. Nie konnte er unter einer Brücke gehen, ohne den Blick nach oben zu richten. Schau dir die Peiner* an, die exakte Konstruktion. Saubere Arbeit. Ihm gefiel der mennigerote Anstrich.

An der gesprengten Lautertalbrücke und an der Schweinsdellbrücke hingen Stahlträger und Geländer verbogen an Trümmern. Als er dies sah, begann er zu rasen.

Dieser verdammte Hitler! Dieser Scheiß-Krieg! tobte er, und ballte die Fäuste. Intakte Brücken so sinnlos kaputtzumachen. Wie viele Leute haben daran ihre Gesundheit gelassen! Alle Brücken durch einen solchen Wahnsinn zu zerstören! Mit diesen Händen habe ich die Träger zusammengeschweißt. Er hielt mir die Handflächen hin. Seine Finger waren viereckig. Schau dir die Stegbleche an, den Untergurt, die Nieten, schau sie dir an, damit du nicht vergißt, wie ich mein Geld verdient habe. Er konnte nie ertragen, wenn fertige Werkstücke auseinandergenommen oder zerschlagen wurden, weil er abschätzen konnte, wieviel Arbeit sie gekostet hatten.

Er kramte im Keller und fand die Steigeisen. Nun zogen wir mit dem Handwagen in den Wald, den Winterbrand zu besorgen. Er schnallte sich die Eisen unter die Schuhe, steckte die Axt in den Gürtel, damit seine Hände frei blieben. Bei jedem Tritt stieß er die Haken in die Rinde des Stammes, umklammerte mit beiden Armen den Baum, zog sich Schritt für Schritt höher, seine Ärmel rieben an der Buchenrinde. Flechte bröckelte ab und fiel zur Erde. Ich stand unten und sah ihm zu. Stand wie angewurzelt und starrte nach oben, horchte auf den dumpfen Ruck, mit dem er die Haken in die Rinde rammte. Es war das erste Mal, daß ich erlebte, wie er einen Baum bestieg, um dürre Äste herunterzuholen.

Plötzlich sprach mich ein dunkelhäutiger Soldat an. Er trug eine Waffe und hatte einen Gurt um den Bauch. Ich erschrak fürchterlich und brachte kein Wort heraus. Konnte nicht einmal meinen Vater rufen, glaubte vor Angst sterben zu müssen. Der Soldat deutete an, Vater solle herunterkommen. Ich rief ihn mit leiser Stimme. Als er langsam herabstieg, beobachtete der Amerikaner jeden Schritt. Vater öffnete die Le-

---

* Stahlträger aus der Stadt Peine

derriemen, band die Eisen ab, rieb die Hände verlegen an der Hose, unsicher flackerten seine Augen, als er dem Soldaten die Steigeisen hinhielt.

Der Schwarze nahm die Eisen in die Hand, betrachtete sie, tastete sie ab, prüfte Vaters Schuhe. Dann zog er eine Schachtel Zigaretten aus der Tasche, hielt sie hin. Vater griff zu, nahm sich eine, der Soldat gab Feuer und rauchte auch. Er schenkte Vater die angebrochene Packung. Sie rauchten, standen sich gegenüber, lachten erleichtert, sich wortlos verstehend. Der Soldat grinste über sein großes braunes Gesicht. Vater ließ den Rauch hörbar aus dem Mund strömen, gelöst aufatmend. Ich stand mit klopfendem Herzen dabei, sah von einem zum andern.

Ich traute mich zum ersten Mal, einen schwarzen Menschen zu betrachten, das hervorstechende Weiß seiner Augen, die dicken, aufgeworfenen Lippen; langsam verlor ich die Angst.

Vater konnte nie fünf gerade sein lassen. Es war ihm ausgesprochen peinlich, von der aufgesparten Wehrmachtsunterstützung seiner Frau zu leben. Wie ein Getriebener fuhr er mit seinem Fahrrad durch die Gegend, entschlossen, irgendwo Arbeit aufzutreiben.

Ich fange ein Geschäft an, sagte er eines Tages zu seiner Frau. Er hatte es sich in den Kopf gesetzt. Seine Frau lachte ungläubig. Sie lachte, weil sie sich nicht vorstellen konnte, wie man mit nichts als einer Idee eine Werkstatt einrichten, eine Existenz gründen könnte. Unmöglich! sagte sie. Aber er gab nicht auf. Vielleicht war ihr Lachen der Funke, der ihn in Bewegung setzte. Er machte sich an die Arbeit. Nun wußte er endgültig: Selbständig wollte er sein, sich nie mehr kommandieren lassen, sein eigener Herr. Von keinem Vorgesetzten mehr angetrieben werden, nicht mehr buckeln, vor niemandem Kratzfüße machen.

Nach all den Jahren hatte er die Erkenntnis gewonnen, daß er nicht mehr jawohl sagen wollte. Er hatte sich fest vorgenommen, ich will für den Rest meines Lebens den Kopf frei haben und meine Haut so teuer wie möglich verkaufen. Man muß es nur richtig wollen, brummte er vor sich hin, schwang sich auf sein Fahrrad und fuhr davon.

Am nächsten Tag stand Vater auf dem Schrottplatz. Seine Augen waren geschult, alles Verwertbare ausfindig zu machen. Aus Rädern verrosteter Mähmaschinen trennte er die Speichen heraus und verwandte sie als Flacheisen, aus glatten Blechen bog er Trichter.

Ich habe Jupp getroffen, den alten Galgenvogel, erzählte er aufgeregt, als er von seiner Suchtour nach Hause kam. Vaters Kumpel wohnte auf der Galgenschanze, so nannte er ihn einfach Galgenvogel.

Stell dir vor, dieser durchtriebene Gauner kutschiert schon wieder mit einem Auto herum. Früher fuhr er doch die schwere Beiwagenmaschine, die große BMW. Dem kalbt doch der Sägebock auf dem Speicher! Er hat einen Lastwagen aufgetrieben und zu einem Holzvergaser umgebaut. Der ausgefuchste Jupp hat mir klargemacht, wenn man zu was kommen will, muß man unbedingt jetzt einsteigen. Jetzt oder nie! Das Geld liegt auf der Straße. Zieht schon wieder an allen Strängen, dieser Windhund! Panzer, sagte er, alte Panzer! Überall stehen sie herum, zerschossen, gesprengt, ausgebrannt. Gehören niemandem. Niemand will sie haben. Da müssen wir uns ranhalten. Die schlachten wir aus, bevor ein anderer auf die Idee kommt.

Wir zerlegen sie in tausend Stücke. Das bringt einen Haufen Zaster. Altmaterial wird ein großes Geschäft, meint Jupp. Fingerlang gehandelt ist besser als armlang geschafft! Samstag geht's los. Jupp stellt das Auto, ich beschaffe Schneidegerät, Sauerstoff und Gas.

Bei Tagesanbruch rumpelte der Holzvergaser über die Sandwege der Siedlung vor unser Haus. Hermann stieg ein, und ab ging es Richtung Westwall.

Spätabends, es war längst dunkel, brachte ihn der Laster wieder zurück. Müde und abgespannt stieg er aus, langte nach seinen Geräten auf der Ladefläche, hob sie herunter und trug sie ins Haus. Die zentnerschweren Gasflaschen ließ er auf der Pritsche liegen. Jupp sollte sie am Montag in die Werkstatt bringen.

In schmutzigen, erdbraun verkrusteten Kleidern betrat er die Küche, fiel total erschöpft auf einen Stuhl. Seine Arme hingen herab. Sein Kopf sank auf die Brust.

Ein Himmelfahrtskommando! Einmal und nicht wieder, schwor er, zu müde, um aufzustehen und sich zu waschen. Hielt ein Bein hoch, einer sprang hin, zog den Stiefel vom linken Fuß, dann den anderen vom rechten. Die Binde an seinem Unterschenkel war verrutscht und kam schmutzig zum Vorschein.

Ein Himmelfahrtskommando! wiederholte er. Als ich mit der Flamme ans Rohr kam, zischte es. Eine Granate stak noch drin, und ehe ich mich versah, explodierte sie. Wir hatten Glück, daß keiner vor der Mündung stand. Der helle Wahnsinn! In einem anderen Koloß schlugen plötzlich Flammen aus dem Tank. Überall lag scharfe Munition herum, und ich hantiere da mit der offenen Flamme. Da mache ich nicht mehr mit! Kommt gar nicht in Frage! Jetzt habe ich den Krieg überlebt und ginge nun auf diese Tour drauf!

Sie waren zu dritt, als sie die Ungetüme auseinanderschnitten, die dicken, bleischweren Stahlplatten herunternahmen, den Turm abhoben, das Rohr zerteilten, nach Stahl-, Kupfer- und Messingteilen sortierten, als Altmaterial beim Schrotthändler verhökerten. Sie schufteten, plagten sich mit den zentnerschweren Ketten und bekamen doch nur Pfennige fürs Kilo.

Hermann besann sich auf die Rippenrohre, die er bei seinem Bruder hergestellt hatte, und entschloß sich, es damit zu versuchen. Er hatte eine Werkstatt gemietet, wollte seinen Betrieb unbedingt ausbauen, sein Geschäft über alle Hürden bringen, nicht eingleisig dabei vorgehen, auf festen Beinen einen gesunden Betrieb hinstellen, krisenfest, sagte er, nicht noch einmal eine Katastrophe erleben. Er setzte all seine Kraft, all sein Können ein, wollte sein Handwerk in die Höhe bringen.

Um Rippenrohre herstellen zu können, brauchte er eine Drehbank. Wo sollte er in dem zerstörten Nachkriegsdeutschland eine solche Maschine auftreiben? Er hörte sich um. Erfuhr auf einem seiner Streifzüge, daß in der teilweise zerstörten Schulmöbelfabrik am Nordbahnhof eine Drehbank, die zur Herstellung von Rüstungsgütern angeschafft worden war, nicht mehr gebraucht wurde und ausrangiert werden sollte. Vater fuhr hin, schaute sich die Maschine an, begutachtete sie von allen Seiten, ob er sie für die Produktion von Rippenrohren verwenden könnte.

Sie war tonnenschwer und riesengroß. Trotzdem überlegte er sich, ob die Revolverdrehbank für seine Zwecke umzubauen sei. Er verhandelte mit dem Besitzer über den Preis, fuhr mit dem Fahrrad auf dem schnellsten Weg wieder nach Hause, beriet sich mit seiner Frau, ob sie die geforderte Kaufsumme aufbringen könnten. Ging in die Werkstatt, maß noch einmal die Stellwand, wo die Maschine ihren Platz finden sollte, kehrte wieder zurück zur Schulmöbelfabrik, bat den Besitzer, die Drehbank nicht eher weiterzuverkaufen, bis er sich endgültig entschieden habe.

Vater knüpfte Verbindungen zu einem kriegsversehrten Maschinenbaumeister. Der versprach, beim Umbau der Drehbank behilflich zu sein, klügelte mit Vater zusammen einen Plan aus, wie die Maschine herzurichten sei.

Sie besannen sich auf alte Tricks, die ausgefallensten Ideen kamen ihnen. Vaters Selbständigkeit machte Fortschritte. Er brachte das Geld für die Drehbank zusammen, lieh es sich in kleineren Beträgen bei Verwandten und Bekannten. Konnte den Fabrikbesitzer überreden, die Maschine mit einem funktionstüchtigen Langholzfahrzeug in die Schlosserei zu transportieren.

Weder Flaschenzug noch Laufkatze standen beim Abladen der großen Maschine zur Verfügung. Sie ließen sie auf dicken Eichenbohlen vom Wagen herab, schafften nach alten Brückenbauermethoden mit Hebel und Rollen, quälten sich, schufteten, bis die Drehbank endlich auf dem zementierten Fundament stand.

Als ein schier unlösbares Problem stellte sich danach die Beschaffung der Zahnräder heraus.

Der räderlose DKW-Meisterklasse stand aufgebockt, mit einer Plane abgedeckt, hinter unserem Haus. Vater schnitt aus der Karosserie über den Hinterrädern ein Rechteck und wollte sich, sobald er passendes Material und Bereifung fände, einen kleinen Transporter daraus bauen. Da entdeckte er in der Scheune eines Gutsbesitzers unterm Stroh eine alte Victoria. Nach der ersten Inspektion stellte er fest, daß das Motorrad mit wenig Aufwand wieder in Gang zu bringen sei. Dem Besitzer, einem älteren, beleibten Mann, der die Maschine nicht mehr fahren konnte, schlug Vater vor, die Victoria gegen den DKW einzutauschen, und versprach, den Umbau des Autos, wenn der Landwirt die notwendigen Ersatzteile besorge, zu übernehmen.

Mit dem Motorrad war Vater wieder beweglicher. Er fuhr in der Pfalz umher, suchte nach Zahnrädern für seine Drehbank. Hast du Lust, auf dem Sozius mitzufahren, fragte er mich. Ich zögerte keine Minute. Ja! Ich mußte mich in die Kurve legen. Begriff es schnell, zog alles, was ich an warmen Sachen besaß, übereinander und setzte mich hinter meinen Vater. Versteckte mich hinter seinem breiten Rücken vor dem Wind, zog den Kopf ein und hielt mich an seinem Körper fest. Ich fuhr gern mit ihm, liebte es, war bald ganz versessen darauf. Wollte nicht ein einziges Mal für einen meiner Brüder zurücktreten. Wir waren auf der Jagd nach Zahnrädern, damit es mit der Rippenrohrproduktion vorwärts gehen konnte.

Die armdicken, bis zu sechs Meter langen Rohre wurden mit gleichmäßig gewelltem Stahlband spiralförmig vom Anfang bis an das Ende umwickelt, zur Beheizung von Hallen, Fabriken und Schulsälen verwendet. Das Stahlband mußte zwischen zwei gleichverzahnten Zahnrädern hindurchlaufen, kam gewellt, wie der Rand eines Kuchenbleches, auf der anderen Seite heraus und wurde in gleichmäßigen Abständen mit dem Schweißapparat an die Rohre geheftet. Wenn ich erst die Rippenrohre herstellen kann, werde ich auch bald Luftheizapparate bauen können, prophezeite Vater voller Vorfreude.

Wir fuhren in die Städte der näheren Umgebung. Vater versuchte bei verschiedenen Eisenhändlern, die er von früher noch kannte, Zahnräder aufzutreiben. Vergeblich! Einzelne Zahnräder hätte man beschaffen können. Er suchte jedoch nach Zwillingszahnrädern, die in der Höhe übereinstimmen mußten.

Einmal, in den Sommerferien, ich ging noch zur Schule, sagte Vater, hör mal, heute nachmittag kommst du zu mir in die Werkstatt, du kannst dich nützlich machen.

Auf weißgekalkten Mauersimsen und Fensterbrüstungen lag fingerdick der Staub. Durch quadratisch unterteilte Metallfenster fiel Tageslicht. Unterhalb der Fensterfront standen Werkbänke mit Schraubstöcken. Die Sandsteinmauer gegen Norden war feucht, graue Moderflecken wucherten bis zur halben Höhe. Als ich die Werkstatt betrat, roch es nach glühendem Eisen und erkaltetem Schmiedefeuer, nach heißgelaufenen und mit Wasser gekühlten Metallsägen. Ein Geselle stand gebückt über der Richtplatte, riß mit stählerner Reißnadel über einem Winkel Linien auf eine Tafel Schwarzblech. Die Lehrlinge kannte ich mit Vornamen, sie waren in meinem Alter. Es dröhnte und hämmerte, eine Schweißflamme zischte; Eisen schrie unter einer Feile. Es ging drunter und drüber.

Heute geht es an die Bohrmaschine, sagte Vater. Für einen Auftrag sind über hundert gleiche Plättchen zu bohren. Ist ganz einfach, das kannst du leicht machen. Die rechteckigen Eisenstücke, zehn mal fünf Zentimeter, waren schon zugeschnitten, die Stelle, wo das millimetergroße Loch hinkommen mußte, mit der Reißnadel markiert.

Die Bohrmaschine stand hinter den Werkbänken, in der Mitte der Halle. Vater besaß zwei dieser altmodischen Ungetüme, eine große und eine kleinere Standbohrmaschine; er hatte sie verwahrlost und verdreckt aufgekauft, gesäubert, repariert und wieder in Gang gebracht.

Binde deine Haare mit einem Kopftuch zusammen, damit sie nicht in die Maschine kommen, befahl er. Wegen der Späne ziehst du am besten eine Schlosserhose an. Wir gingen zusammen an die Maschine. Presse die Eisenplatte mit der linken Hand ganz fest auf den Bohrtisch; er machte es gleichzeitig vor, benutzte Daumen und die zur Faust gekrümmten Finger als Zwinge. Die Bohrerspitze war genau auf die Mitte der Körnung gerichtet. So, siehst du! Ziehe mit der Rechten den Hebel herunter. Jetzt… ist das Loch durch. Schau genau hin! Hebel wieder langsam retour. Laß das Plättchen vorher ja nicht los, sonst dreht es sich mit dem Bohrer, reißt ihn ab und dir fliegt alles um die Ohren.

Die Lektion wiederholte er zwei-, höchstens dreimal. Ich mußte ihm das Handwerk und sein Geheimnis abschauen. Mit den Augen mußt du stehlen, sagte er, immer ganz genau zugucken. So habe ich das auch gemacht. Anders lernst du nichts. Wenn er etwas zusammenschraubte, mußte ich schon im voraus wissen, was er haben wollte, Schraube, Unterlegscheibe, Mutter.

So, jetzt bist du an der Reihe. Komm her! Er trat einen Schritt zurück, gab den Platz an der Maschine frei. Ich nahm ein Plättchen, legte es auf den Bohrtisch, hielt es fest, löste den Hebel in Kopfhöhe, zog ihn langsam nach unten. Der Bohrer saß im Zentrum, die Maschine erreichte Höchstgeschwindigkeit. Spiralig drehten sich Eisenspäne aus den Bohrergängen, der Stahlbohrer durchdrang das Metall. In das Eisen war ein kreisrundes Loch eingeschnitten. Ich schob den Hebel in seine Position zurück. Vater schaute mit zusammengekniffenen Augen über meine Schulter. Er war zufrieden.

Ich fühlte mich als der wichtigste Mitarbeiter seines Betriebes. Nein, nicht als ein Mitarbeiter. Das war mir zuwenig. Ich betrachtete mich als seinen Sohn, wichtiggenommen und anerkannt.

Durch die blauschlierigen Fensterscheiben fiel Licht. Vater stand mitten in einer flimmernden Wolke aus Sonnenstaub. Das schwarzlackierte, hochbeinige Stehpult neben dem Eingang war sein Büro. Er klappte den Deckel auf, nahm Notizblock und Bleistift aus dem schrägen Kasten und begann zu zeichnen. Mit wenigen Strichen skizzierte er eine Konstruktion, die ihm durch den Kopf gegangen war. Er wollte sich ein Bild davon machen.

Später kam er noch einmal zurück, schaute von der Seite auf meine Hände. Als er langsam hinter mir vorüberging, streifte er mit dem Ärmel seiner grauen Kutte meinen Rükken. Wenn ich doch einen Sohn wie meine Tochter hätte, murmelte er halblaut vor sich hin, so anstellig, so interessiert.

Daß auf Dauer ein Mädchen als Schlosser an der Werkbank stehen könnte, war für ihn undenkbar. Ein Mädchen war doch nur Aushilfe, Lückenbüßer, wenn Not am Mann war.

Nach langem Suchen hatte Vater eines Tages Zahnräder für seine Rippenrohrbank aufgetrieben, die Maschine lief. Die ersten Rohre gingen mit der Bahn zu einer Firma nach Remscheid. Gleich darauf kam auch schon die Reklamation: Das gewellte Band, mit dem die Rohre umwickelt waren, hatte den Transport nicht überstanden, war umgekippt, und die ganze Ladung kam wieder zurück. Die Zahnräder hatten die Wellen nicht deutlich genug in das Stahlband eingedrückt. Erst durch die Wellentiefe erhielt das aufrechtstehende Band seine Standfestigkeit und ertrug die Spannung der Außenfaser, ohne umzukippen. Die ergatterten Zahnräder und das zu dicke Stahlband hatten nicht zusammengepaßt. Die Produktion in den Walzwerken lief erst langsam wieder an.

Die Drehbank war aber nach wie vor Vaters ganzer Stolz. Sie war der Beweis, daß er fähig war, auch auf anderen Gebieten als dem Brückenbau etwas auf die Beine zu stellen. Die Schlosserlehrlinge putzten jeden Samstagvormittag die Maschine und warteten sie. Wenn der Schein des Schmiedefeuers auf die Drehbank fiel, glänzte sie als stattlicher Mittelpunkt der kleinen Werkstatt.

Die Zeit der Demontage begann. Niemand ahnte, daß Vaters Betrieb den Franzosen einen Besuch wert sein könnte. Sie kamen dennoch. Unvermutet standen sie in der Schlosserei, betrachteten die Drehbank, begutachteten sie, entzifferten das Herstellerschild. Da die Maschine in dem Betrieb zuvor zur Anfertigung kriegswichtiger Güter eingesetzt worden war, wurde sie kurzerhand beschlagnahmt. Vater half das Vorzeigen seiner Quittung nicht. Er redete mit dem französischen Beamten und mit dem Dolmetscher. Er versuchte sie zu überzeugen, daß es seine Maschine sei, daß er den Kopf der Maschine für seine Rippenrohrproduktion umgebaut habe und sie nun zu nichts anderem zu verwenden sei. Er bat um Einsicht, daß er seinen Betrieb erst nach dem Zweiten Weltkrieg gegründet hatte und mit seiner Familie davon leben müsse. Er beschwor die Beamten, ihm doch die Maschine zu lassen. Es half nichts. Die Maschine war verloren.

Eine Woche später wurde die Drehbank herausgerissen, aus den Fundamenten gehoben. Vater bekam ein Stück Papier als Beleg. Er mußte die Schlosserei verlassen, auf die Straße hinausgehen, konnte nicht mitansehen, wie die Drehbank aufgeladen und abtransportiert wurde.

8

Eine Woche vor Palmsonntag, samstags in aller Frühe, kam Max mit seinem Lieferwagen in den Hof. Er war Metzger und Wirt. Manchmal saß Vater in seinem Lokal beim Dämmerschoppen. Nun verfrachtete Max Schwein und Ziege aus unserem Stall in einen hölzernen Transportkäfig und brachte sie zum Schlachthof. Vater saß schon in der Fahrerkabine des Transporters, kurbelte das Fenster herunter und rief seinem Sohn: Beeil dich! Mach, daß du rauskommst! Du fährst mit, damit du beim Schlachten zusehen kannst.

Der Termin für das Schlachtfest war mit Vorbedacht gewählt. Die Konfirmation meines Bruders stand kurz bevor. Fleisch und Wurst sollten frisch auf den Tisch kommen. Es sollte ein großes Fest werden, die erste richtige Familienfeier nach den Kriegs- und Hungerjahren. Die ganze Verwandtschaft, auch Vaters Schwester und ihre Familie, war eingeladen, und alle freuten sich darauf.

Vierzehn Tage zuvor war in einer großen Korbflasche Wein in der Vorderpfalz geholt worden. Während Mutter am Wasserstein stand, die Weinflaschen schrubbte, spülte und schwenkte, saß Vater auf einem Stuhl vor der Korbflasche, saugte den Wein durch den Schlauch an, nahm, bevor er nach einer zum Austropfen in eine Brenke gestülpten Flasche griff, einen kräftigen Schluck, steckte dann erst das Schlauchende in den Flaschenhals.

Nachbarn kamen dazu, probierten den Wein, rauchten, erzählten, lachten, lobten den guten Tropfen. Zum Schluß waren alle in der Küche ein bißchen betrunken. Damit hatte das Fest begonnen.

Das Festessen wurde ausgiebig besprochen. Jedem lief das Wasser im Mund zusammen. Sich einmal wieder richtig sattessen! Hinlangen, solange man Lust hat! Trinken, bis man nicht mehr kann. Weingläser, Kaffee- und Eßservice waren frisch gespült, die Tischdecken noch einmal gewaschen, gestärkt und gebügelt worden. Das Silberbesteck, das wir beim Einzug der Amerikaner vor deren Zugriff in den Futterraufen der Pferde versteckt hatten, wurde aus den Schachteln genommen, geputzt und poliert. Spritzgebackenes und Butterkekse lagerten in Dosen.

Zuerst gab es eine klare Fleischbrühe mit Markklößchen. Auf die paar Pfund Rindfleisch, die man dazukaufen mußte, kam es nun auch nicht mehr an. Danach kam das Rindfleisch mit Meerrettich und Weißbrot auf den Tisch. Als Hauptgericht entschloß sich Mutter, Schweinebraten mit Kartoffelklößen, Nudeln und verschiedene Salate zu servieren; für ganz Ausgehungerte gab es noch Schweinekoteletts und Rotkraut.

Eine Nachbarin hatte versprochen, Mutter beim Kochen

und Abwasch zu unterstützen. Sie stand schon am frühen Vormittag am Spülstein, schälte Kartoffeln, schnitzelte Gurken, putzte Salat. Nahm auch die Blumenstöcke entgegen, die vormittags, während die Familie an der Einsegnung in der überfüllten ›Kleinen Kirche‹ teilnahm, abgegeben wurden, und belohnte den Überbringer mit einem Trinkgeld.

Als Nachspeise bereitete man Birne Helene nach Großmutters altem Rezept vor, etwas Besonderes, das nicht jeder kannte. Nach dem Dessert, als die Tafel abgeräumt, die Tischtücher ausgeschüttelt waren, stellte man Gebäck und Wein auf den Tisch. Ein kleines Kästchen mit Zigarren wurde herumgereicht; die Männer hielten die Nasen hinein, schnupperten sachverständig, nahmen sich eine, bissen die Spitze ab, spuckten sie aus und zündeten die Zigarre an.

Genau wie vor dem Krieg, lobten die Verwandten das Festessen, gingen hinaus in den Hof, vertraten sich ein bißchen die Beine, machten eine Runde ums Haus, stellten sich fürs Familienfoto auf, die Großen nach hinten, Kinder in die erste Reihe, der Konfirmand mit dem Gesangbuch kerzengerade in die Mitte.

Hermann mußte immer wieder sein linkes Handgelenk freimachen und jedem seine neue Armbanduhr zeigen, die ihm Großvater am Morgen nach der Einsegnung mit den Worten: Halte sie stets in Ehren, überreicht hatte.

Auf den Fensterbänken standen blaue und rosafarbene Hortensien, Azaleen und Pantoffelblumen. Jeder, der vorüberging, konnte sehen, daß hier ein Fest in vollem Gang war.

Zum Kaffee kamen noch weitere, entfernte Verwandte, die Cousine mit ihrer Familie. Wir holten die Stühle aus dem Schlafzimmer, schoben sie an den ovalen Ausziehtisch. Fünfundzwanzig Kuchen hatten wir jubelnd gezählt und uns gefreut. Zehn davon brauche ich allein zum Fortschicken, sagte Mutter, aber die Teller richte ich erst nachher. Zuerst gab es gefüllten Kranz, Marmor- und Streußelkuchen, bevor die Kirsch-, Mirabellen- und Zwetschgenkuchen aufgeschnitten wurden. Vergangenen Sommer waren alle Einmachgläser mit Obst, Gemüse und Gurken gefüllt worden. Hermann kommt aus der Schule, hieß es, da muß man sich richten.

Alle rochen den frisch gebrühten Bohnenkaffee, kamen an

die Küchentür, streckten den Kopf herein. Die Kaffeemühle quietschte noch in der Küche, wo die Kinder getrennt von den Erwachsenen am Tisch saßen. Der Konfirmand saß noch auf seinem Ehrenplatz im Wohnzimmer; vor ihm stand ein Weinglas, er nippte daran. Die Männer forderten ihn auf, heute darfst du ruhig einen Schluck mehr trinken, und boten ihm eine Zigarette an.

Du hast es geschafft, bestätigten sie. Jetzt bist du ein Mann, du gehörst jetzt zu uns. Bist jetzt der Junior, sagte Vater anerkennend zu seinem Sohn, und klopfte ihm auf die Schulter.

Danach schlürften sie den dampfenden Kaffee, aßen vom trockenen Kuchen nur wenig, vom Obstkuchen von jeder Sorte ein Stück mit zwei Löffeln Schlagsahne und ließen sich zum Schluß noch ein Stück Torte auflegen.

Wie im Frieden, murmelten die Frauen mit vollem Mund, wie im Frieden, und taten sich noch einen Löffel Sahne in den Kaffee. Sie lobten die Hausfrau und ihren vorzüglichen Kuchen. Greift nur zu! Geniert euch nicht! forderte sie auf. Manch einer gönnte sich ein weiteres Stück Torte. Will noch jemand 'nen Schnaps, echter Zwetsch, fragte Vater, Selbstgebrannten oder ein Likörchen, die Damen, vielleicht Kakao mit Nuß.

Die Gäste schnauften, holten tief Luft, der Bauch hob und senkte sich, alle nickten mit dem Kopf; sie zogen die Zustimmung, sich ein bißchen zierend, in die Länge, tranken aber gern ein Gläschen.

Vor dem Abendessen kamen die letzten Gäste, mit uns auf gutem Fuß stehende Nachbarn. Sie brachten die Stühle gleich mit. Als Höhepunkt des Festes kam der gefüllte Saumagen auf den Tisch, dazu die zarten Bratwürste, die frische Hausmacher Leberwurst, die prallen Blutwurstringe, Schüsseln mit Kartoffelsalat, Sauerkraut, Platten mit eingelegten Gurken, Körbe voll knusprigen Brotes. Die Gäste langten zu, was das Zeug hielt, gabelten und kauten mit vollen Backen, probierten die Wurst, sahen sich gegenseitig anerkennend an und nickten. Mensch, wie lange habe ich keinen Saumagen mehr gegessen, sagte einer mit breitem Fettrand um den Mund, und holte sich noch ein Stück davon auf den Teller. Das Bier schäumte in hohen Gläsern; einige waren auch bei ihrem herben Pfälzer Wein geblieben.

Vater klopfte mit dem Messerrücken ans Glas, wünschte allseits einen guten Appetit, forderte die Gäste auf, zuzugreifen, es sich schmecken zu lassen, zu essen, zu trinken. So jung wie heute kommen wir doch nicht mehr zusammen. Sie stießen mit den Gläsern an, prosteten sich zu, wünschten dem Konfirmanden ein langes Leben, konnten es immer noch nicht fassen, daß sie soviel essen konnten, wie sie wollten. Die Großeltern saßen mitten unter ihren Kindern und Enkeln, nickten mit dem Kopf und wunderten sich ein übers andere Mal: Daß wir das noch erleben durften, daß wir das noch erleben.

Die Frau aus der Küche trug Berge von Geschirr ab und begann die Kuchenpakete zu richten, die die Gäste mitbekamen, wenn sie nach Hause gingen. Aber so weit war es noch nicht. Einer trällerte schon vergnügt den Anfang eines bekannten Liedes. Hört, hört, rief sein Nachbar, Karl singt schon, und gleich darauf fiel die Tafelrunde ein.

Wir holen das Grammophon. Ja, das Grammophon, schrien die Jüngeren. Wir stellen es in die Küche und tanzen. Aber erst, wenn das Geschirr gespült ist, rief die Nachbarin, die Hände bis zum Ellenbogen im Wasser. Alle halfen schnell beim Abtrocknen. Während der letzte Teller im Schrank verschwand, die nassen Geschirrtücher auf die Herdstange gehängt wurden, erklang schon die Musik. Was kann der Sigismund dafür, daß er so schön ist.

Ein paar Männer saßen noch im Wohnzimmer, tranken und rauchten. Einer nach dem anderen kam in die Küche und schaute, was los war. Auf einmal waren alle in der Küche. Nur die Großeltern waren schlafen gegangen. Und bei der Polka Rosamunde schwoften die Gäste unter der baumelnden Küchenlampe hinaus in den Flur, in das Wohnzimmer, die Tische wurden schnell zur Seite gerückt, und sangen laut den bekannten Text des Liedes.

Otto, der Dicke aus der Nachbarschaft, dem Vater eine Tabakschneidemaschine aus einer Kartusche gebastelt hatte, hüpfte tapsig wie ein Braunbär, reckte den halslosen Kopf in die Höhe und quakte wie ein Frosch. Der lange Hein stelzte auf dürren Beinen mit aufgekrempelten Hosenbeinen wie ein Storch mitten durch die Tanzenden, verdrehte die Augen und krähte. Plötzlich riß er die Arme hoch und sprang gegen die

Decke. Tollpatschig fing ihn Otto auf und drückte ihn an sich.

Jüngere Paare schmiegten sich eng aneinander und tanzten Wange an Wange. War die Schallplatte abgelaufen, mußte das Grammophon erneut aufgezogen werden. Die Gäste brachen in Hochrufe aus, ließen den Gastgeber leben, der die leeren Weingläser immer wieder nachfüllte. Sie klopften ihm auf die Schulter und schworen, noch nie so ein schönes Fest mitgemacht zu haben. Versprachen, Freunde zu bleiben, so lange sie lebten, immer zusammenzuhalten in guten und schlechten Tagen, wie in den vergangenen Zeiten. Sie tobten und sangen, schwitzten und taumelten, stießen an und waren glücklich. Jetzt geht es wieder aufwärts, die schlimmen Zeiten sind ein für allemal vorbei.

Barfuß werde ich zu dem Bauernhof gehen und meine alten Eltern zurückholen, hatte Vaters Schwester geschworen. Auf dem Rücken will ich sie nach Hause tragen, ereiferte sie sich, wenn sie in den Nachkriegsjahren die Eltern auf dem Hof ihres Bruders besucht, Taschen und Rucksäcke voll Lebensmittel und Tabak heimwärts geschleppt hatte.

Nun waren die Hungerjahre vorüber. Die alten Leute, nicht mehr in der Verfassung, den Bauernhof länger zu betreuen, die Wirtschaft zu überwachen, den Garten und das Herrenhaus instand zu halten, riefen ihre Kinder zu einer Familienkonferenz zusammen. Alle Söhne und Töchter beratschlagten gemeinsam mit den Eltern, wo die Alten wohnen sollten. Auch das Geld für den Unterhalt spielte eine wichtige Rolle. Stahlwerksmutter führte das Wort. Sie glaubte, die wirtschaftlichen Verhältnisse ihrer längst verheirateten Kinder am besten zu durchschauen. Kurzerhand legte sie, je nach Einkommen und Familiengröße, den Betrag gleich fest, den ihre Kinder beizusteuern hatten, und verpflichtete sie, das Geld pünktlich jeden Monat auf ein Konto einzuzahlen. Lediglich ihrem Lieblingssohn, dem Gottgegebenen, setzte Stahlwerksmutter kein Limit. Er sollte geben, so stellte sie ihm frei, was er glaube, daß ihm seine alten Eltern wert seien.

Da fiel kein Wort der Entrüstung. Keiner der Söhne wagte den Einwand, seine Frau könnte vielleicht mit der Unterhaltszahlung nicht einverstanden sein, er habe noch einen Kredit abzuzahlen, eine Werkstatt einzurichten. Kritiklos waren alle Geschwister mit den Forderungen ihrer Mutter einverstanden; ja, sie nahmen sogar in Kauf, daß es an jedem Monatsersten, wenn der Betrag fällig war, Streit in ihren Familien gab, weil das Geld zuvor schon hinten und vorn nicht ausgereicht hatte.

Die Tochter löste ihr Versprechen ein. Nein, so sagte sie, das ließe sie sich nicht nehmen, ihre Eltern dürften nur bei ihr wohnen, nur da fänden sie die wohlverdiente Ruhe, die nötige Pflege und die rechte Umsorgung. Eine Stube unterm Dach wurde hergerichtet, und die Eltern zogen zu ihrer Tochter, die ihnen alle Wünsche zu erfüllen versprach.

Die Alten, vom Leben auf dem Land daran gewöhnt, in aller Herrgottsfrühe aufzustehen, blockierten morgens das Bad, saßen auf dem Abort, standen in der Küche und warteten auf das Frühstück, wenn sich zur gleichen Zeit der berufstätige Ehemann der Tochter auf seinen Arbeitsalltag vorbereitete. Die erste Mißstimmung kam auf. Der Schwiegersohn beklagte sich, die Alten schenkten ihrer Verdauungsfunktion zu große Bedeutung. Sie hätten genügend Zeit, im Bett liegen zu bleiben, zu warten, bis er das Haus verlassen habe. Sie brauchten erst aufzustehen und zu frühstücken, wenn sie ihn nicht mehr hinderten.

Stahlwerksmutter und ihre Tochter glichen sich zu sehr im Temperament und gifteten sich jeden Tag mehr an. Ihre Tochter fand, daß sie nun in einem Altersheim lebe, nur noch die Alten betreue und nicht mehr ausgehen könne. Die Opferbereitschaft war nach einem Jahr verblaßt. Die Eltern mußten sich eine andere Bleibe suchen.

Sie haben ja noch mehr Kinder, sagte ihre Tochter. Wenn jeder der Geschwister die Eltern so lange bei sich aufnehme, sei die Reihe erst in sechs Jahren wieder an ihr. Um dem Gekeife seiner Schwester ein Ende zu machen, entschied Vater, seine Eltern bei uns unterzubringen. Er fragte nicht lange, ob wir damit einverstanden waren. Ich mußte mein Zimmer, das ich erst seit zwei Jahren allein bewohnen durfte, räumen. Daß Mutter nun für sieben Personen kochen, waschen, bügeln mußte, kümmerte ihn nicht. Ihre Mutter habe auch bis zu ihrem Tod bei uns gewohnt, erinnerte er sie. Damit war die Sache aus der Welt.

Großvater, mit seinen neunundsiebzig Jahren immer noch

ein rüstiger Mann, wollte sich seinem Sohn erkenntlich zeigen, ging mit ihm in die Werkstatt und brachte seinem Enkel, der gerade in die Lehre gekommen war, das Schmieden bei.

Die Hemdsärmel hochgekrempelt, eine Lederschürze umgebunden, stand der gedrungene Mann breitbeinig vor dem Amboß. Das Feuer der Esse hatte sein Gesicht gerötet, beleuchtete es von unten her. Er packte das Eisen mit der Zange in der linken Hand, zog es aus der Glut. Seine Rechte umklammerte den Hammerstiel. Drei gleichmäßige Schläge trafen den Stab. Der Hammer federte zweimal leicht auf dem Amboß. Sein Arm sammelte neue Kraft; die Hand wurde entlastet. Wieder drei kräftige Schläge auf den Vierkantstab. Die Muskeln schwollen an, an den Schläfen traten die Adern hervor. Das Eisen war abgekühlt, mußte zurück in die Glut. Mit dem bloßen Unterarm wischte er den Hammerschlag, die Schlacke geschmiedeten Eisens, vom heißen Amboß. Er scharrte die Kohlen zusammen, nahm den Löschspieß, stocherte die Schlacke aus dem Feuer – seine Lider zuckten –, setzte den Blasebalg in Bewegung. Ruß flog ihm ins Gesicht, er kniff die Augen zusammen. Das Eisen war wieder rot, die Kanten weißglühend. Er holte es mit der Zange heraus, legte es auf den Amboß, holte aus, setzte drei harte Schläge hintereinander, ließ den Schmiedehammer auf dem Amboß hüpfen. Der Schweiß zog Rinnsale in sein schwarzes Gesicht.

Er konnte unter drei Hämmern schmieden; das bedeutete, sein Sohn, sein Enkel und er schlugen im gleichen Rhythmus hintereinander auf das Eisen. Aber wehe, wenn einer aus dem Takt kam oder mit der bloßen Hand den Amboß berührte! Dann war der Teufel los!

War er mit dem Schmieden fertig, legte er Schaufel und Stecheisen über Kreuz auf die geräumte Esse, als Zeichen seiner Schmiedetradition.

Unterdessen saß Stahlwerksmutter zu Hause, empfing ihre Schwestern von den Zeugen Jehovas. Sie kokettierte mit ihren Jahren, fragte jeden, der sie besuchte, wie alt er sie wohl schätze. Die hagere Person war eingeschrumpft und platt, der Kopf so schmal, daß sie einen Bock zwischen den Hörnern küssen konnte. Ihr Gesicht hatte sich zu einem verhutzelten Faltenbalg zusammengezogen, das spitze Kinn und die Bakkenknochen standen vor. Ihr Mund kam nicht zum Stillstand.

Ich bin die Mutter eines Millionärs, verkündete sie stolz, faßte die dünne Porzellantasse vorsichtig am Henkel, spitzte die zusammengeschrumpelten, blauen Lippen, spreizte den kleinen Finger zum Zeichen, daß sie nun vornehm geworden war, und trank Bohnenkaffee, stark, schwarz und heiß.

Sie erzählte ihrer Schwiegertochter jeden Tag biblische Geschichten, Gleichnisse und Prophezeiungen und wurde nicht müde, sie darauf hinzuweisen, daß das Ende der Welt nahe sei, nur wenige Auserwählte in den Himmel kämen, zu denen sie selbstverständlich zählte.

Die monatlichen Zahlungen der Kinder gingen auf Großvaters Sparbuch regelmäßig ein. Jedesmal, wenn Karl, der bei einer Bank beschäftigte Enkel, zu Besuch kam, fragte ihn Großvater, ob das Geld auch wirklich nicht mehr kaputtgehe, die Deutsche Mark ganz gewiß wertbeständig sei. Es war das erste Mal in ihrem Leben, daß die Großeltern etwas im Rükken hatten.

Hermann und ich wurden am gleichen Tag aus der Schule entlassen. Die Eltern waren froh, endlich die beiden Ältesten vom Geldbeutel zu haben. In der Pfalz bedeutet die Konfirmation das Ende der Kindheit. Das Kind kommt aus der Schule; die Familie hat's geschafft; das Kind ist erwachsen und kann für sich selbst aufkommen. Dienstag nach dem Fest mußte Hermann die Lehre bei seinem Vater antreten.

Zuerst wurde in der Werkstatt ausgemessen, ob der Lehrling auch das Schraubstockmaß hatte. Eine Elle, die Spanne von der Hand zum Ellenbogen, sollte der Abstand zwischen Oberkante Schraubstock und dem Kinn des Buben betragen. War ein Lehrbub kleiner, besorgte man einen Holzklotz zum Draufstellen und glich damit die fehlende Größe aus.

Der Junge war nicht groß für seine vierzehn Jahre, beinahe noch ein Kind, mit schmalen Schultern, verträumten Augen, und dazu von seiner Mutter immer in Schutz genommen, wenn er etwas angestellt hatte. Bei den Schlossergesellen fehlte ihm diese Rückendeckung. War Vater nicht in der Werkstatt, war er das Chefsöhnchen und hatte nichts zu lachen. An ihm ließen sie ihre Wut aus, die sie auf den Meister hatten. Hier wurde er gedrillt, durch die Werkstatt gehetzt. Mit dem Fahrrad in die Stadt zur Eisenhandlung gejagt; kam er zurück, hatte das Falsche eingekauft, mußte er sofort wieder umkehren, die Dinge umtauschen, die ihm die Gesellen zuvor absichtlich falsch aufgeschrieben hatten. Es wurde ihm nichts geschenkt. Sie schickten ihn ein Augenmaß kaufen, ließen ihn den Amboß feilen, er fiel auf die Nase. Nach Feierabend, wenn sich die Gesellen als erste in dem Eimer mit sauberem Wasser gewaschen hatten, setzten sie sich auf die Werkbank, knöpften ihre Arbeitshose auf; Lehrlinge hatten ihnen die Arbeitsschuhe aufzuknoten, sie ihnen auszuziehen, die blauen Baumwollhosen herunterzustreifen. Die Halbschuhe standen schon offen unterhalb der Gesellen auf dem Boden. Sie ließen sich in die Schuhe hineinfallen. Den Jungen wurde der Gedanke, vollwertige Menschen zu sein, ausgetrieben, das Gefühl dafür abgetötet, bis sie selbst so weit waren, als Geselle und Meister ihre Untergebenen auf die gleiche Art und Weise, wie sie abgerichtet worden waren, zu behandeln.

Samstags morgens wurden die Werkstatt saubergemacht, die Maschinen geputzt. Lehrlinge, die frisch eingetreten waren, wurden beauftragt, den Rauchfang über der Esse zu reinigen, den Ruß innen abzukratzen. Das sei alte Schlossertradition. Der Lehrling kletterte auf den Feuertisch, kroch in den Abzug, bis er mit Kopf und Oberkörper bis zur Hüfte darin verschwunden war. In dem Augenblick schlugen alle Gesellen und die älteren Lehrlinge mit Vorschlaghämmern von außen gegen das Blech des Rauchfanges. Dröhnender Krach zerriß dem darinsteckenden Lehrbuben beinahe das Trommelfell. Ruß fiel über den Neuling, setzte sich in Augen, Ohren, Nase und Mund, daß er glaubte, bei lebendigem Leib in die Hölle gefahren zu sein. Ausgelacht, gedemütigt, bedroht kam mein Bruder nach Hause.

Sobald es auch nur den Anschein hatte, daß sein Sohn in der Anstrengung, ein ordentlicher Schlosser zu werden, nachließ, drohte Vater, wenn du dich nicht zusammenreißt, wirst du Gußputzer. Ihn Nixnutz, Daachdieb* oder Faulenzer zu heißen, war dem hitzigen Vater zu nichtssagend, um den Sohn anzutreiben. Zusammenkrumpeln und vernichten wollte er ihn! Gußputzer war das Wort, das den Sohn zerstören und gleichzeitig wachrütteln sollte, war wie ein Dreckkübel, der über dem Sohn ausgekippt wurde, ihn mit Schmutz

* Tagedieb

und Unrat bedeckte, unter dem er jedoch geläutert und mit neuem Arbeitswillen hervorgehen sollte.

Dir wird beim Abklopfen die Schlacke in die Augen fliegen, schilderte Vater die Arbeit des Gußputzers, dein Gesicht und deine Haare werden von schmierigem Ruß bedeckt sein. Du wirst dir die Finger an den gratigen, scharfen Kanten blutig reißen! Gußputzer! Ein ungelernter Arbeiter, ein Handlanger, ein Nichts in den Augen eines Handwerkers.

Die Existenz eines Schlossermeisters stand für Vater niemals in Frage. Der Sohn bekam, bevor er zur Schule ging, einen Metallbaukasten geschenkt; er bosselte von kleinauf Fahrräder zusammen und niedrige, zweirädrige Karren aus den Achsen alter Kinderwagen. Ihm wurde die Bestimmung zum Schlosser so lange eingeimpft, bis er nichts anderes mehr denken konnte.

Ich mußte feilen, schilderte mein Bruder seine Lehrzeit. Feilen war meine erste Arbeit. Mit Feilen beginnt die Ausbildung eines jeden Schlossers, hatte Vater gesagt, also feilte ich. Stundenlang stand ich an der gleichen Stelle, hielt die Flachfeile in beiden Händen. Ein Strich mußte sein wie der andere. Nach dem ersten Tag hatte ich Blasen. Ich wickelte Lumpen um die rechte Hand. Vater kam: Du mußt gründlicher feilen! Hab ich dir nicht gesagt, ein Strich muß sein wie der andere. Kreuzstriche, wie ich sie dir gezeigt habe. Zuerst von der rechten Seite her, dann von der linken. Das Werkstück muß plan sein, es darf keine Buckel haben. Mach die Fetzen ab, sonst kriegst du nie das richtige Gefühl in die Hand. Ich feilte weiter, vorn ansetzen, nach hinten durchziehen, vorn ansetzen, nach hinten durchziehen. Die rechte Hand hält die Feile, die linke lenkt sie. Mir wurde schwarz vor Augen, ich taumelte vor Hunger, hielt es nicht mehr aus, wankte, drohte umzukippen. Klemm deine Jacke in den Schraubstock, dann fällst du nicht mehr um, wenn du den Brotdormel hast, sagte Vater. Ich mußte weiterfeilen. Nach einer Woche fing die rechte Hand an zu bluten. Die Haut war weg. Mach dir Öl auf die Blasen und halte deine Hand übers Feuer.

Gefährlich wurde es, wenn Vater das ›Schmiedegefühl‹ überkam, das Gefühl, einfach zuschlagen zu müssen. Zuerst versuchte er noch, sich zu beherrschen. Meist gelang es ihm nicht. Er schlug blindlings drauf ein. Den Hammer packen, ihn mit einer Hand durch die Luft schwingen, Zuschlaghammer, Vorschlaghammer, Symbole deines Lebens, Vater! Dein Sohn mußte sie übernehmen. Auch du fragtest nicht, ob er sich diesen Beruf wünschte. Er hatte geschickte Finger. Daß er viel lieber Elektriker oder Feinmechaniker werden wollte, hast du wahrscheinlich gar nicht erfahren. Er wurde nicht gefragt.

Als dein Sohn geboren wurde, stand für dich fest, er wird dein Nachfolger. Als das Wichtigste, das du ihm vererben konntest, erschien dir die Schlosserei, deine eiserne Tradition. Was habe ich nicht alles getan, um aus dem Stahlwerk herauszukommen, schrie Vater, auf den Brückenbau bin ich gegangen, habe den Arsch zusammengekniffen. Kein Hahn hat nach mir gekräht, wenn ich da oben stand.

Was du nicht geschafft hattest, sollte er für dich erreichen. Dein Sohn sollte mit seiner Leistung den Ruf deiner Schlosserfamilie festigen. Er hieß wie du, er mußte sein wie du. Ein Teufelskreis für euch beide, aus dem es keinen Ausweg geben konnte. Du, der Stärkere, der Ältere, hattest kein Einsehen mit dem Jüngeren, dem Sensibleren. Du holtest einfach die Schablone, die man auch für dich verwendet hatte, hervor und preßtest deinen Sohn hinein. Du hattest nichts dazugelernt.

Mit deiner Kommandostimme triebst du den Vierzehnjährigen zu Arbeiten an, denen er nicht gewachsen war. Er wird's schon lernen, sagtest du, und ludest ihm die schweren Eisenrohre auf die Schulter, als er nach der Schule zu dir kam. Packst du sie, fragtest du ihn, wenn du sahst, daß er unter der Last zu wanken begann. Dein Sohn wagte nicht, nein zu sagen. Deine harte Hand rutschte dir allzu leicht aus. Du hattest von jeher keine Geduld mit deinen Mitarbeitern, noch viel weniger mit deinem Sohn.

Lief die Arbeit nicht so, wie er es sich in den Kopf gesetzt hatte, zog er den Kittel aus, knüllte ihn zusammen, warf ihn in eine Ecke und verschwand laut schreiend und fluchend aus der Werkstatt, erzählte mein Bruder. Nur, wer sich bei der Arbeit gut anstellte, war bei ihm angesehen. Ihn konnte man nur mit Arbeit beeindrucken, mit andauernder Bereitschaft zur Arbeit.

Du mußt dich behaupten! Halte die Ohren steif, stemme

dich gegen den Wind, sagtest du zu deinem Sohn. Kannst es zu was bringen, glaubtest du und dachtest daran, wieviel Schwierigkeiten du ihm aus dem Weg geräumt hattest; sahst die Werkstatt, den eigenen Betrieb, den er, wenn du nicht mehr in der Lage sein würdest, zu arbeiten, nur zu übernehmen brauchte. Du hattest übersehen, auch du warst nicht wie dein Vater, und dein Sohn glich dir nicht. Er besaß nicht deine Robustheit, nicht die körperlichen Voraussetzungen; er wurde nur durch deine Worte zu einem Schlosser. Dein Sohn hatte andere Vorzüge, ließ sich nicht, wie du, durch Jähzorn in hitzigen Streit und laute Auseinandersetzungen hetzen.

Als die Zeit der Bauaustrocknungen gekommen war, Neubauten in der Innenstadt in Tag- und Nachtschichten errichtet wurden, um drei, vier Monate nach Baubeginn das neue Ladengeschäft darin zu eröffnen, Mauerwerk und Putz mit heißer Luft trockengeblasen wurden, mußte dein Sohn, gerade vierzehn Jahre alt, nächtelang in den tür- und fensterlosen, unheimlichen Bauten die Feuerungen der Öfen betreuen.

›Bauaustrocknung mit CO_2 (Kohlendioxyd)‹, hieß es in der Offerte, damit der frisch aufgebrachte, noch feuchte Mörtel nicht riß oder abplatzte. Daß dein Sohn die Gase einatmen mußte, wurde dir nicht bewußt; daß ihn Wermutbrüder, Nutten und Soldaten nachts in den mehrgeschossigen, unfertigen Geschäftsgebäuden, in den riesigen Kinopalästen aufsuchten, ihn belästigten und er sich allein nicht zu helfen wußte, rührte dich nicht. Er hat ja Schürhaken, Schaufeln und Hacken zur Hand, wird sich schon zu wehren wissen, sagtest du. Daß er sich zu Tode fürchtete, machte dir keinen Eindruck. Nur unser kleiner Hund leistete ihm Gesellschaft.

Hermann wurde in keine besondere Schule geschickt. Wozu auch? Um Schlosser zu werden, reichte die Volksschule. Hattest du vergessen, Vater, wie sehr du darunter gelitten hattest, als du die Realschule verlassen mußtest? Mein Bruder begriff nie die Freude, die ich empfand, als ich das Wort ›Bureau‹ auf dem weißen Emailleschild endlich richtig lesen konnte. Er kannte das Glücksgefühl nicht, als ich in Remarques Büchern die Sätze in französischer Sprache verstand.

Du warst zu stark für ihn. Er konnte nicht mithalten, deine Wildheit nicht ertragen, und du hattest kein Mitgefühl, kein

Verständnis für ihn. Auch du und dein Sohn, ihr beide konntet nicht miteinander reden. Du befahlst, er mußte gehorchen. Widerreden gab es nicht. Dein Schreien erstickte den geringsten Protest. Gehorchen, hieß deine Devise. Dein Wahlspruch bei der Lehrlingsausbildung klingt in mir nach: Um jede Ohrfeige, die nebendrangeht, ist es schade.

Später, als Vater längst gestorben war, fragte ich Hermann, ob er sich an Vaters Märchen erinnerte. Ich wollte mich vergewissern, ob ich nicht einer Täuschung aufgesessen war. Vater war alles andere als ein Märchenerzähler. Ich konnte mir nicht erklären, wie er zu dieser Geschichte, die Ludwig Bechstein vor mehr als hundert Jahren aufgeschrieben hatte, gekommen war. Vater kannte sonst kein Märchen, nicht einmal Rotkäppchen.

Hermann wußte sofort Bescheid. Es überraschte mich: Ich kann mich noch genau an die Geschichte von Fix-wie-der-Wind, Zerreiß-Alles und Brech-Eisen-und-Stahl entsinnen. Als wir Kinder waren, erzählte er sie, wenn er einmal zu Hause war und es sonst nichts zu tun gab. Ich fürchtete mich vor seinen reißwütigen Hunden, sagte Hermann, vor ihren scharfen Zähnen und Pranken, denen nichts widerstand. Ich verscheuchte die Angst und wollte das Märchen immer wieder hören, um mich erneut davor zu gruseln. Bei jeder Wiederholung wurden die Augen der Hunde größer. Zuerst waren sie so groß wie Tassen, hatten bald den Umfang von Tellern und nahmen zuletzt die Ausmaße von Wagenrädern an.

Zunächst führte Vater seine Schafe nur wie einen heimlichen Wunsch mit sich. Milch trinken, sich wärmen, angenommen sein ohne Gegenleistung, das versprachen ihm die gutmütigen Tiere. Mit der Sehnsucht geprügelter Kinder wählte er die Schafe. In seinen Träumen wollte er sich wenigstens wohlfühlen.

Vaters Märchen hörte, kurz nachdem es begonnen hatte, wieder auf. In dem Augenblick, als der Fremde mit den drei schwarzen Hunden aus dem Wald trat und ihm den Tausch anbot, löste er sich von seinem unerfüllten Kindertraum. Er gab den Gedanken an die ersehnte Behaglichkeit auf; wußte, daß seine Kinderwünsche nicht in Erfüllung gehen konnten. Wollte Vater Brückenbauer werden, in der Gesellschaft der Monteure bestehen und nicht wie die Schafe hilflos und ohnmächtig bleiben, mußte er sich von ihnen trennen. Sie wären ihm auf Dauer hinderlich geworden. Er tauschte die Schafe bedenkenlos und richtete sich nach den Hunden. Versuchte, so zu werden wie sie, schnell wie der Wind, aber mit seidigem Fell, schön anzugreifen. Alle, die Schwache und Hilflose bedrohten, wollte er zerstören, in Fetzen reißen und aus dem Weg räumen. Stark mußte er werden, den Mann machen, Betrüger entlarven. Kein Wunsch war dringender, heftiger, absoluter. Die Hunde standen ihm bei. Er lief keine Gefahr, zu unterliegen. Voller Hoffnung, alles Männliche in kürzester Zeit zu lernen, zog er mit seinen Hunden über Land. Wer den Drachen bezwungen hatte, dem gehörte die Zukunft.

Nun wollte er mit seinen Hunden den Ausbruch wagen. Immer eine Nasenlänge anderen voraus sein, sich auf Neues ausrichten, sich unentbehrlich machen, das brachten ihm die Hunde bei. Der Glaube an sie war grenzenlos.

Vater ließ sich nicht anmerken, wie hilflos er sich als Brückenbauer zu Beginn seiner Tätigkeit gefühlt hatte, erfand sich seine Hunde, bedrohlich, gierig, wild. Je mehr ihn seine Kameraden als verweichlichtes Muttersöhnchen verspotteten, um so draufgängerischer mußte er werden. Die Hunde halfen ihm, die schweren Eisenträger mit nahezu übermenschlichen Kräften anzuheben; sie standen ihm zur Seite, wenn seine Mitarbeiter nicht mehr konnten. Er befahl knapp und laut.

Vater glaubte mit Kraft und verbissenem Fleiß die Welt, in der er lebte, verändern zu können. Als er auf vielen Baustellen die Probe bestanden hatte, heiratete er die reiche Tochter und gründete eine Familie. Nun wollte er geliebt werden, anerkannt sein, und verhielt sich keinen Deut anders als die kraftstrotzenden Mannsbilder, die er als Jüngling bewundert hatte. Und die Hunde bewirkten weiter seinen Lebensmut.

Er wuchs über sich hinaus, als er ein Geschäft gründete, biß die Zähne aufeinander und setzte sich durch. Später, als er nicht mehr viel sprach, faßte er seine Geschichte in einem Satz zusammen: Ich habe immer alles ein bißchen gezwungen. So brachte er sie auf den kürzesten Nenner.

9

An einem naßkalten Februartag machte sich Mutter auf den Weg zu dem Bekleidungshaus in der Innenstadt. Sie fragte den jungen Kaufmann, ob er mich nicht als Lehrmädchen einstellen wollte. Garantierte ihm, daß ich fleißig und anpassungsfähig sein werde, und versprach, daß ich ganz gewiß zu seiner Zufriedenheit arbeiten würde.

Ich habe einen Lehrling für mein Büro, einen weiteren brauche ich nicht, lehnte er das Angebot meiner Mutter ab. Sie wissen, daß ich Ihrer Tochter den Vorzug gegeben hätte. Nun ist die Stelle besetzt.

Mutter war inzwischen klar geworden, daß ich die Lehre bei der Buchführungsorganisation abbrechen würde. Sie wußte keinen Ausweg mehr, als bei dem Geschäftsmann anzuhalten, ihn zu bitten, es doch einmal mit mir zu versuchen. Probieren Sie es doch einmal mit meiner Tochter. Sie werden es nicht bereuen, pries sie mich beredt an. Nach anfänglichem Zögern sagte er schließlich zu, mich einzustellen, wenn ich mich entsprechend bewährte. Eine dreimonatige Probezeit wurde vereinbart. Die abgeleistete achtmonatige Lehrzeit sollte mir auf die zweijährige Ausbildung zum Bürokaufmann angerechnet werden.

Aus dem Lehrvertrag ging klar hervor, der Lehrling hat seinen Vorgesetzten Gehorsam und Achtung zu erweisen; die ihm übertragenen Aufgaben gewissenhaft und ehrlich auszuführen; sich innerhalb und außerhalb des Betriebes anständig und ordentlich zu betragen; die Berufsschule regelmäßig und pünktlich zu besuchen. Außerdem verpflichteten sich die Eltern dazu, ihre Tochter zur Arbeitsamkeit und guten Sitten sowie zur Einhaltung der im Lehrvertrag übernommenen Pflichten anzuhalten.

So hatte ich erreicht, was ich mir in den Kopf gesetzt hatte. Ich war unterwegs zu meiner neuen Firma. Meinen grünen Stoffbeutel auf den Gepäckträger des Fahrrads geklemmt, fuhr ich zur Innenstadt. Die letzten Schulkinder waren noch auf dem Weg, liefen, ohne rechts oder links zu schauen, eilig über die Fahrbahn. Ich war zu früh. Das Geschäft öffnete erst um halb neun. Die Arbeitszeit im Büro stimmte mit der Ladenzeit überein.

Ich werde diesmal aushalten! Ich will den Geschäftsmann von mir überzeugen! Ich will die Probezeit bestehen und meine Lehre in diesem Laden beenden! Ich schwöre, ich will mein Bestes tun, koste es, was es wolle! Ich will diesmal beharrlich sein, es sind ja nur noch anderthalb Jahre. Ich werde es bestimmt schaffen!

Das Bekleidungshaus hatte einen guten Namen in der Pfalz. Mutter hatte mich bei ihrer Rückkehr von der Unterredung mit dem Kaufmann vorgeknöpft: Bei dieser Firma wirst du gewissenhaft und fleißig sein, sonst rühre ich keinen Finger mehr für dich. Glaube ja nicht, daß du noch einmal Zikken machen kannst! Schlage dir deine verrückten Ideen ein für allemal aus dem Kopf! Ich habe dir jetzt diese Stelle gesucht. Du wirst dich gefälligst anstrengen. Du wirst dir Mühe geben und deine Arbeit anständig machen. Alles, was man von dir verlangt, wirst du tun.

Das Geschäftshaus war im Zweiten Weltkrieg von den Bomben total zerstört, nun aber wieder zweistöckig aufgebaut worden.

An der entlegensten Ecke des Gebäudes, neben dem Trümmergrundstück, stellte ich mein Fahrrad ab, verschloß es, glättete mein zu einem Trägerrock abgeschnittenes türkisfarbenes Wollkleid, das mir seit der Schulzeit zu eng geworden war, stopfte meine Bluse in den Rock, zog die Jacke herunter, ging langsam an den Schaufenstern entlang, betrachtete, wie so oft in letzter Zeit, die Auslagen, sah mein Spiegelbild in den blankgeputzten Scheiben, holte einen Kamm aus der Tasche, brachte meine Haare in Ordnung.

Puppen, den menschlichen Proportionen nachgebildet, mit gemalten Gesichtern, Wimpern und Haaren, trugen festliche Kleider. Eine war als Braut angezogen, hielt künstliche Blumen in den Händen; eine andere steckte in einem schwarzen Taftkleid mit Spaghettiträgern, das Bolero hing über dem ausgestreckten Zeigefinger der Puppe. Mäntel und Röcke waren geschickt auf dem Boden drapiert, so daß man auf Material und Schnitt aufmerksam wurde, oder mit Nadeln an der Rückwand befestigt; Blusen und Kleider über Büsten und Gestelle gespannt, vorteilhaft in der Taille zusammengezogen. Neben jedem Modell stand ein Pappschild mit Namen und Preis.

Kurz vor halb neun wurde die Tür von innen aufgeschlossen. Ich hielt den Atem an und betrat den hohen Laden, wagte nicht, fest aufzutreten. Der dunkelgrüne Fußboden! Die schweren Samtvorhänge an den Umkleidekabinen! Wandleuchter! In allen Ecken mannshohe Spiegel. Weiße Kleider hingen in geschlossenen Glasvitrinen, Mäntel und Kostüme auf verchromten Stangen, Blusen in niedrigen Theken, Pullover saßen in Regalen.

Überall wurde gebürstet, poliert, gerieben, abgestaubt, gebohnert. Zwei Putzfrauen mit bloßen Händen und Unterarmen wagten nicht von ihrer Arbeit aufzusehen, schoben mit dem Handrücken eine Haarsträhne aus der Stirn, mit der anderen hielten sie die Bohnermaschine fest. So machte der halbdunkle Verkaufsraum sofort einen vornehmen Eindruck auf mich. Vielleicht bildete ich mir dies auch nur ein, weil ich überzeugt war, nicht in irgendeiner Klitsche, sondern in einem eleganten Laden arbeiten zu dürfen.

Die Büros lagen oben. Ich stieg die breite Treppe hoch. In einem vom Laden abgemauerten Teil des ersten Stockwerkes fand ich, durch weißgestrichene Holzwände und Glasscheiben voneinander getrennte, helle Räume.

In einem davon stand vorn, parallel zum Fenster, der lange Schreibtisch der Büroleiterin. Mein Platz wurde mir an dem einfachen Holztisch mit grüner Schreibauflage, direkt neben der Tür, zugewiesen. Die Buchhalterin brachte das Wechselgeld vom Tresor zur Kasse.

Das Telefon klingelte. Ich war allein im Büro, getraute mich nicht, den Hörer von der Gabel zu nehmen, und ließ es eine Weile läuten. Ich hatte Angst vor dem Apparat. Je länger er bimmelte, je mehr befürchtete ich, der Chef könnte zur Tür hereinkommen und mich ausschimpfen, weil ich den Anruf nicht entgegennahm. Ich faßte den Hörer vorsichtig an, hob ihn von der Gabel und legte ihn auf die Tischplatte, hörte von meinem Platz aus den Anrufer seinen Namen nennen und hallo, hallo ins Telefon schreien, bevor er auflegte und im Hörer nur noch das Amtszeichen zirpte.

Ich schlich im Büro umher wie ein gekuschter Hund, zog die Schultern ein, zwängte mich zwischen Rolladenschränke und Regale, daß man mich, wenn ich allein im Büro war, nicht durch die Glasscheiben sehen konnte, wartete auf Anweisungen, Erläuterungen und Belehrungen. Eine Verkäuferin in schwarzer Kleidung mit frischgewaschenem und gewelltem Haar kam an den Schalter der Bürotür, verlangte die Rechnung für eine Kundin. Sie klopfte mit den Knöcheln ihrer rotlackierten Finger an die Scheibe, stand davor, kühl, wohlriechend, als sei sie soeben einem Schaumbad entstiegen, verströmte einen angenehmen Lavendelduft. Das ganze Büro roch danach, als sie wieder gegangen war.

Die Buchhalterin erklärte mir, daß es für unsere Damen im Verkauf Vorschrift sei, ganz in Schwarz oder in Weiß gekleidet zur Arbeit zu erscheinen. Ich begriff langsam, daß es in diesem Haus nur Damen gab, keine Frauen. Kundinnen standen als Damen an erster Stelle; selbst wenn sie alle Verkäuferinnen hin- und herjagten, sie bis zur Weißglut ärgerten, sich alle Kleider ihrer Größe aus der Vitrine räumen ließen und anprobierten, prüfend den Stoff zwischen ihren Fingern rieben, die Farbe des Kleides vor der Tür bei Tageslicht betrachteten. Kundinnen blieben stets Damen, selbst wenn sie sich niemals für ein Kleid entscheiden konnten, sich vom Lehrmädchen eine Schachtel mit vier, fünf verschiedenen Modellen nach Hause bringen und am nächsten Tag wieder abholen ließen, ohne sich zu einem Kauf entschlossen zu haben. Die meisten Kundinnen waren seit langem im Geschäft bekannt. Sie hatten einen ganz bestimmten Ruf, der vertraulich hinter vorgehaltener Hand unter den Verkäuferinnen weitergegeben wurde.

Erschien eine dieser anspruchsvollen Damen in der Tür des Ladens, retteten sich die zuletzt von ihr schikanierten Verkäuferinnen in die Toilette oder hinter dicht gefüllte Kleiderständer, zwinkerten sich vielsagend zu; ›Schruze‹*, zischten sie und überließen unerfahrenen Kolleginnen oder Lehrmädchen das Terrain. Anders bei Damen mit gutgefüllter Börse, von denen sie im voraus wußten, daß es ihnen nicht auf hundert Mark ankam. Diese Kundinnen hatten ihre eigene, stets gleiche Bedienung. Das ist meine Kundin, sagte die Verkäuferin und verscheuchte ihre Rivalin.

Ich erfaßte die Zusammenhänge langsam. Es leuchtete mir nicht ein, daß manche Damen, denen der Ruf, reich zu sein,

---

* Kundin, die sich alle Waren vorlegen läßt, aber nichts kauft

vorausging, ihre Kleider mitnahmen, auch anzogen, aber nicht bezahlten, und wir im Büro einen dicken Ordner mit unbezahlten Rechnungen betreuten, am Ende eines jeden Monats lange Listen aufstellen und die Beträge in den nächsten Monat übertragen mußten.

Gegenüber dem Hauptbüro war die Kalkulationsabteilung untergebracht; zwei Räume, in denen die angekommenen Pakete ausgepackt, die Kleidungsstücke herausgenommen und auf Bügel hintereinander an Ständer gehängt und mit Preisen ausgezeichnet wurden. Dort arbeitete Inge, das andere Lehrmädchen.

In der Mittagspause betrachtete ich die Sommerkollektion, die gerade von den Kleiderfabriken ausgeliefert worden war. So viele Kleider hatte ich zuvor niemals gesehen. Zuerst sah ich nur die gestreiften, getupften, karierten, geblümten Stoffe in ihrer Vielfalt an, dann griff ich hinein, schob ein Kleid nach dem anderen auf der Stange an mir vorbei. Ich war begeistert. Weiße Spitzenkragen saßen auf hellen Sommerkleidern, Plisseeröcke baumelten vor durchsichtigen Blusen. Traumhaft! Ich jubelte, daß ich in einer solch vornehmen Firma arbeiten durfte.

Eine Verkäuferin stand plötzlich hinter mir, das ist Baumwolle, Leinen, Honan, Chintz, Organza, Organdy, Stickerei, Spitze, reine Seide, Batist, Kattun, Wolle, Musselin, Kammgarn, Wollgeorgette, Satin. Mir begann es vor den Augen zu flimmern, und ich zweifelte, ob ich das jemals lernen und auseinanderhalten könnte.

Nun geht's aufwärts, frohlockte ich und dachte, daß ich nun wirklich ein Sprungbrett erreicht hätte. Laufend mußte ich Botengänge zwischen Büro und Laden erledigen. Auf dem Rückweg ins Büro kam ich im Laden an einem dieser hohen Spiegel vorüber, hielt einen Augenblick inne, betrachtete mich, meinen vom Sitzen abgetragenen und zerknitterten Rock, verglich mit den glatten, gutgeschnittenen Kleidern der Damen im Verkauf, schämte mich wegen meiner ungepflegten Frisur. Meine schäbigen Konfirmandenschuhe trug ich nun schon im dritten Jahr. Ich hielt die Luft an, zog den Bauch ein, damit wenigstens meine Figur im Spiegel etwas vorteilhafter erschien. Eine Verkäuferin ging auf hohen Absätzen mit wohlgeformten Seidenstrumpfbeinen an mir vorbei.

Schnell sprang ich die Treppe hinauf, drückte die Klinke der Bürotür nieder, setzte mich an meinen Arbeitsplatz, beugte mich über die Platte und begann, in Windeseile Stecknadeln aus den aufgespießten Etiketten hinter den handgeschriebenen Kassenzetteln herauszuziehen, sortierte sie den Nummern nach in Mäntel, Kleider, Blusen und bereitete die tägliche Kassenabrechnung vor. Es türmten sich Belege und Etiketten vor mir. Ich ordnete sie nach dem mir beigebrachten System, übertrug in Listen, stellte Statistiken auf. Und plötzlich erinnerte ich mich, wie ich meiner Tante im Krieg geholfen hatte, Brot- und Lebensmittelmarken aufzukleben, rosa zu rosa, gelb zu gelb, hellblau zu hellblau, Butter zu Butter, Nährmittel zu Nährmittel, Zucker zu Zucker.

Wußte ich bei einem Arbeitsgang nicht weiter, versuchte ich zunächst krampfhaft selbst dahinterzukommen. Gelang es mir dennoch nicht, stand ich von meinem Platz auf, ging zur Büroleiterin, flüsterte ihr meine Frage zu, hatte Bedenken, laut mit ihr zu reden, meine Fragen an sie zu stellen. Das Zimmer des Chefs lag nur durch eine Glastür von dem unseren getrennt. Ich hatte Angst, dumm und unwissend zu erscheinen, als Nichtskönner aufzufallen, meine Probezeit nicht zu bestehen und entlassen zu werden. In gedämpftem Ton erklärte sie mir, wie die Vordrucke weiter auszufüllen seien, wie ich die Einnahmen summarisch einzutragen hatte, die Ausgaben einzeln aufzuführen waren, die gewährten Kredite den Bareinnahmen zuzurechnen und so der Tagesumsatz festzustellen sei. Ich führte meine Arbeit sorgfältig zu Ende, achtete auf eine gut leserliche Handschrift. Der Wunsch, diese Stelle zu bekommen, war in Erfüllung gegangen. Ich hatte den Vorsatz gefaßt, mein Bestes zu geben. Dieser Gedanke verließ mich keine Minute. Ich strengte mich an, alle Arbeiten in kürzester Zeit zu erledigen.

Die Tür des Chefzimmers ging auf. Der junge Herr betrat das Büro. Ich senkte die Augen, schaute auf das Blatt vor mir, spürte im selben Augenblick, wie mir das Blut ins Gesicht schoß, schämte mich, daß mir das bei jeder Gelegenheit passierte. Meine Handflächen wurden feucht, ich begann zu schwitzen.

Ihre Frau Mutter hat angerufen, sagte die Buchhalterin. Ich dachte zuerst, ich hätte mich verhört. In meinem ganzen Leben hatte ich noch nie jemand so reden hören. Ihre Frau Mutter! Der Chef war nur zehn Jahre älter als ich. Aber er hatte mir außer diesen zehn Jahren noch vieles andere voraus. Tag für Tag prasselten Bruchstücke einer vollkommen anderen Welt auf mich herab. Da flatterten Höflichkeitsfloskeln wie lange Spruchbänder an mir vorüber. Die Briefe, die er mir diktierte, begannen: Sehr verehrte, gnädige Frau.

Auf den Briefbögen stand der mit Bindestrich zusammengefügte Doppelname des jungen Kaufmanns. Er trug die Vornamen seiner Vorfahren. Beide Großväter seien Kommerzienräte gewesen, erklärte er mir. Er, der einzige männliche Nachkomme beider Familien, stellte das Bindeglied dieser bedeutenden Geschlechter dar. Kommerzienrat! Bisher hatte ich diesen Titel nur auf pompösen Grabsteinen bei meinen Besuchen auf dem Friedhof gelesen. Es gab ihn also in der Realität. Ich wollte wissen, wie man Kommerzienrat wird, und fragte treuherzig.

Die neuen Eindrücke verwirrten mich, machten mich noch unsicherer und verlegener. Mein junger Chef, sein Vater und sein Großvater waren Ratsherren unserer Stadt. Sie trugen einen unverwechselbaren Familiennamen. Es sei ein latinisierter Name, so belehrte mich der Herr, der vor vielen hundert Jahren, als es Mode geworden war, deutsche Familiennamen ins Lateinische zu übersetzen, abgeändert und in dieser Form beibehalten worden war.

Von meinem Lehrherrn erfuhr ich, was es bedeutet, einen Stammbaum zu haben. Wie das nach dem Muster eines Äste und Zweige treibenden Baumes entstandene Bild aussah, wie es weitergeführt wurde, wie sich die Geschlechter aneinanderreihten. Er, nun der einzige männliche Sproß dieses Namens, besaß einen Siegelring, benutzte ihn als Petschaft, drückte die wichtigen Initialen, die ihm alle Türen, alle Ämter, alle Ohren und alle Herzen öffneten, in erwärmten Siegellack und verschloß damit wichtige Briefe.

Seit meiner Schulzeit hatte ich mir eingebildet, die Geschichtsschreibung müsse nach dem Ende des Zweiten Weltkriegs neu beginnen. Ich war erst kurz vor dem Krieg geboren, hatte bisher nur Fliegerangriffe, Bombennächte, Trümmer, den Einzug der Amerikaner und danach die Not und den Hunger der Nachkriegszeit erlebt, hatte geglaubt, daß der Weltkrieg und seine Folgen das Zusammenleben der Menschen auf der Erde verändert hätten. Meine Ansicht mußte ich nun, nach Kenntnis des über Jahrhunderte hinweg geführten Nachkommensverzeichnisses, ändern. Dieser Name galt, so schien es mir, mehr als ein Orden; um einen Titel brauchte man sich, damit ausgezeichnet, nicht zu bemühen. Wissen und Bildung schloß er ohne Studium ein, er war ein vererbbares Kapital, für das es keine Maßeinheit gab.

Ich verkroch mich, kam mir vor wie eine Maus, die ab und zu den Kopf aus ihrem Loch streckt. Davor türmten sich die großen Bauwerke, da dehnte sich der für mich unübersehbare Grundbesitz dieser Familie, es häuften sich die ruhmreichen Taten, die Stiftungen und Schenkungen, die sie den Bürgern der Stadt gemacht hatte.

Vor mir stand die Pyramide der einflußreichen Verwandten, der Vettern und Basen mit klangvollen Namen. Es rankten sich historische Ereignisse unserer Stadt um Mitglieder dieser Familie; da gingen die durch Eheschließungen verbundenen Paare aus traditionsreichen Häusern hervor, Bauerngeschlechter reihten sich ein.

In der Chronik unserer Stadt fand ich Bilder der Fabriken und Häuser, die der Familie einst gehört hatten, aber inzwischen vom Krieg zerstört worden waren. Meine Mutter schilderte mir, wie die Großväter meines Lehrherrn in Kutschen durch die Stadt gefahren seien.

Im Kontor des Kaufmanns roch es nach Tabak und kalter Asche, an den Wänden hingen Bilder der Vorfahren. Drei geschnitzte Eichensessel umgaben den Rauchtisch. Vorn, im Licht, stand der Schreibtisch, darauf glänzten die Marmor-Garnitur und der Briefständer aus Messing. Ich konnte nicht einsehen, warum dieser Mann in einem Büro saß. Er erschien mir wie ein Prinz, der sich zu Tode langweilen, aber nicht zu Tode arbeiten durfte. Ich verstand nicht, daß er mir beibrachte, am geringsten Rechnungsbetrag, den die Firma zu bezahlen hatte, Skonto abzuziehen.

Schreibe hin, schreibe her, aber schreibe niemals quer, zitierte ich als Quintessenz in einem Lehrlingsbericht. Diese Binsenwahrheit hatte mir Mutter mit auf den Weg gegeben, wenn es darum ging, eine Schuld mit Wechsel zu bezahlen. Sie hatte einen heillosen Respekt vor dem Umgang mit Wechseln. Fasse ein solches Papier nur mit spitzen Fingern an, riet sie mir. Meinem Lehrherrn schien diese Einstellung nicht zu gefallen, er korrigierte sie. Der Wechsel sei, so sagte der Kaufmann, immer noch der billigste Kredit. Er habe es sich ausrechnen lassen. Mutters Sprüche reichten jetzt nicht mehr, um im kaufmännischen Betrieb zu bestehen.

Als ich meine Stelle angetreten hatte, erklärte mir mein Chef, es ist leichter, reich zu werden, als reich zu bleiben. Mir fielen meine fünfundvierzig Mark Lehrgeld ein. Der Gedanke, damit meinen zukünftigen Reichtum zu begründen, erschien mir schon damals zweifelhaft. Deshalb habe ich diesen Satz bis heute nicht vergessen.

Der Geschäftsmann legte auf praxisnahe Ausbildung größten Wert. Viele der älteren Verkäuferinnen schrieben in altdeutscher Schrift Kassenzettel, Etikette und Änderungsanweisungen. Lehrmädchen taten sich schwer, diese Schrift zu entziffern. Von den Alten könne man nicht erwarten, daß sie sich den Jungen anpassen, entschied der Chef. Es bliebe den Lehrmädchen nichts anderes übrig, sie müßten die veraltete Schrift lernen.

Der Kaufmann besorgte Musterbögen und teilte sie aus. Von nun an mußte ich meine Lehrlingsberichte in deutscher Schrift abfassen. Nur durch Anpassen kannst du lernen, behauptete der Lehrherr.

Es fiel mir zunächst schwer, das Spitze und Kantige dieser Schrift vorschriftsmäßig einzuhalten. Jetzt mußten sich nicht nur die Buchstaben in die gleiche Richtung neigen, wie es meine Mutter erwartete; sie mußten sich auch noch spitzwinklig aneinanderreihen, mit U-Bogen und Schleifen versehen sein, korrekt in der Linie, für alle gut lesbar dastehen. Über ein Jahr schrieb ich Berichte, mit denen ich mich anpaßte. Bis zum Ende meiner Lehrzeit waren es mehr als ein Dutzend Anpassungslektionen.

Aber ich mußte nicht nur die Schrift, ich mußte auch meine Sprache ändern. Gewiß, ich war in Grillparzers Dramen ›Medea‹ und ›Sappho‹, die wir im letzten Schuljahr mit verteilten Rollen gelesen hatten, nicht zu Hause. ›Das Leben, ein Traum‹ war für mich ein Traum geblieben. Und aus Goethes Trauerspiel ›Egmont‹, der ersten Theater-Aufführung, die ich erlebte, behielt ich nur die eindrucksvollen Hauptdarsteller in Erinnerung, wie sie im notdürftig umgebauten Capitol-Kino auf der Behelfsbühne agierten. Kaum war ein Jahr seit meiner Schulentlassung vergangen, schon überdeckten ganz andere Wörter die auswendig gelernten klassischen Zitate.

Zum Schluß schrieb ich die Lehrlingsberichte fließend; Ober- und Unterlängen machten mir keine Schwierigkeiten; ich beherrschte die Abkürzungen für Pfennig und Pfund. Das gleichmäßige Schriftbild konnte sich sehen lassen. Ich hatte mich an die vorgegebenen Linien gewöhnt.

Habe ich nicht gleich gesagt, nur durch Anpassen kannst du lernen, triumphierte der junge Geschäftsmann, als er den Abschlußbericht durchlas.

Alle Aufgaben, die man mir übertrug, führte ich gewissenhaft aus. Als Kind war ich schon stolz, nach einer besonderen Leistung gelobt zu werden. Meine Eltern hatten mir beizeiten eingeschärft, daß Leistung zählt. Nun mußte ich beweisen, was ich unter der Fuchtel meiner Erzieher gelernt hatte.

Wenn mein Lehrherr mit mir sprach, war ich sofort verwirrt. Er redete in langen Sätzen, witzig, ironisch, sarkastisch, fragte mich nach meinen vorherigen Arbeitsstellen, ordnete an, daß ich in der Berufsschule in eine andere Klasse überwechselte, damit Inge und ich nicht am gleichen Tag abwesend waren.

10

War der Berufsschulunterricht beendet, mußten wir Lehrlinge ins Geschäft zurück. Selbst wenn der Stundenplan bis vier Uhr nachmittags mit kaufmännischem Rechnen, Buchführung, Wirtschaftsgeographie und Staatsbürgerkunde ausgefüllt war, durften wir nicht nach Hause gehen. Die Geschäftszeit dauerte bis halb sieben, so mußte auch ich nochmals in den Laden.

Einmal gingen zwei der älteren Schüler neben mir her. Ich schob mein Rad, kam mir vor wie ein Kind, das zwischen seinen großen Brüdern geht. Die Männer sprachen in schwerfälligen Sätzen. Vom Lager Friedland war die Rede, vom Roten Kreuz, von der Suppe, der Ordnung, den Feldbetten. In der Berufsschule besuchte ich nun eine gemischte Abiturientenklasse, zum ersten Mal mit Männern zusammen.

Viele von ihnen waren über zwanzig Jahre alt, aus Gefangenschaft zurückgekehrt, hatten das Abitur nachgeholt, eine kaufmännische Lehre begonnen, wollten möglichst schnell den Stoff lernen, ihre Prüfung hinter sich bringen und Geld verdienen. Sie waren im Gegensatz zu mir erwachsen und ernst, unterhielten sich über Krieg und Hunger. Der Name eines Generals fiel, ein Frontabschnitt wurde genannt, sie tauschten Erlebnisse ihres Gefangenseins bei Russen und Amerikanern, bei Engländern und Franzosen aus. Einer berichtete über Zustände in einem südfranzösischen Lager. Er war von dort nach Hause gekommen, redete müde und stockend, als bemühte er sich, etwas Unvorstellbares auszudrücken; sprach von Unverbesserlichen, die über den Krieg hinaus an den Endsieg geglaubt und die Kameraden tyrannisiert hatten.

Als Jungen waren sie eingezogen worden, zuerst als Flakhelfer in Heimatnähe, der Arbeitsdienst hatte sich angeschlossen. Ehe sie sich versahen, standen sie hinter Kanonen, saßen vor Funkgeräten oder schoben in langen Mänteln Wache. Enttäuscht waren sie zurückgekehrt, hatten das Lachen verlernt, unterschieden sich durch ihre todernsten Augen, ihre besonnene Art, zu handeln, von den übrigen Berufsschülern, die mir auch einmal nachpfiffen, wenn ich auf dem Rad wegfuhr.

Wir gingen langsamer, schlenderten an den Häusern entlang. Ich komme noch früh genug ins Geschäft, ging es mir durch den Kopf. Kannst du nicht für mich ein paar Übungen tippen? fragte mich der eine. Er hatte herausgefunden, daß ich gut auf der Maschine schreiben konnte, und bat mich, ihm aus der Klemme zu helfen. Maschinenschreiben war für alle Kaufleute Prüfungsfach, ganz gleich, welchen Berufszweig sie anstrebten. Der Mann sah mit seinen ungelenken Fingern keine Chance, das Zehnfingersystem jemals zu lernen.

Die Prüfung bestehen, Geld verdienen, zu essen haben, Klamotten kaufen, zu etwas kommen, man sah es ihren Gesichtern an. Zum Schäkern war keine Zeit. Da schnippte mal einer ein Papierkügelchen von einer Bankreihe zur nächsten, da übertrugen wir im Stenografieunterricht den diktierten Text in Langschrift und lasen ihn dann auf Englisch oder Französisch vor. Die verblüffte Lehrerin stand dabei, grinste verlegen, zog die Stirn hoch, ihr faltiges Gesicht wurde grau.

Wollen wir noch ein Eis essen gehen, fragte mich einer meiner Begleiter. Das Café Capri war nicht groß, es lag am Weg. Wir setzten uns an einen kleinen Tisch in der Ecke, den man von außen nicht sehen konnte. Der eine zog Zigaretten aus der Tasche, hielt mir die Packung hin. Ich nahm die angebotene Zigarette, ließ mir Feuer reichen, wollte erwachsen erscheinen, zog den Rauch in die Lungen, sah blaue Kreise, glaubte zu ersticken, hustete. Tränen stiegen mir in die Augen, mir wurde speiübel. Ich mußte auf die Toilette. Ich hatte mir vorgestellt, wie großartig ich rauchend auf die beiden Männer wirken würde. Die Beine übereinandergeschlagen, die Zigarette elegant zwischen zwei Fingern halten, den Rauch inhalieren, in Kringeln in die Luft steigen lassen, eine Tasse Kaffee vor mir. So hatte ich es im Film gesehen. Daß mir nun dieses Mißgeschick passieren mußte! Ich nahm mir vor, zu Hause zu üben.

Kaum hatte ich den Laden betreten, die Tür hinter mir geschlossen, kam Wiltrud, ein Lehrmädchen aus dem Verkauf, auf mich zu, klopfte mir auf die Schulter, bevor ich die Treppe zum Büro hinaufstieg. Der Chef hat schon nach dir gefragt. Wo warst du denn so lange?

Ich zog die Schultern hoch, gab ihr keine Antwort, nahm zwei Stufen auf einmal und beeilte mich. Am Sonntag sehen wir uns ja, rief sie mir nach.

Was ist denn in dich gefahren, empfing mich der Chef. Von der Schule bis hierher braucht man höchstens zehn Minuten. Jetzt ist es gleich fünf. Ich habe noch einen dringenden Brief. Komm gleich mit dem Stenoblock herein. Er diktierte mir schnell einen Brief. Der letzte Satz begann: Ich, als alter Humanist …

Das war wieder ein Wort, das ich nicht kannte und das sich sofort in meinem Kopf festsetzte. Was ist ein Humanist? Was bedeutet es, einer zu sein?

An fünf Sonntagen im Jahr war nachmittags das Geschäft geöffnet: Im Mai und Oktober, wenn das Kirchweihfest mit einem Jahrmarkt auf dem Stiftsplatz gefeiert wurde, und an drei Adventssonntagen. Schneiderei- und Büropersonal mußte vollzählig erscheinen; es war selbstverständlich, daß alle beim Verkauf, am Packtisch und an der Ladenkasse mithalfen.

Ein wenig verlegen, ein bißchen eitel, kamen Lehrmädchen und Verkäuferinnen an diesen verkaufsoffenen Sonntagen in den Laden. Mensch, hast du eine tolle Figur in dem Kostüm! Sie bewunderten sich gegenseitig in den Modellkleidern, die sie auf Abschlag bei der Firma gekauft hatten. Der enge Rock macht aber schlank!

Wenn ich nur nicht so viele Pickel im Gesicht hätte, seufzte ein Mädchen, das bräunliches Make-up aufgetragen hatte, so daß der Kontrast zur käsig weißen Haut am Hals und an den Ohren auffiel. Das zweiteilige Kleid hatte viel mehr gekostet, als das Mädchen in einem Vierteljahr als Lehrling verdiente. Den Angestellten wurde ein Bonus auf die Bruttopreise gewährt, aber Mäntel, Kostüme oder Kleider kosteten ein Vielfaches des monatlichen Gehaltes. Eine Verkäuferin, die drei Lehrjahre hinter sich und die Prüfung bestanden hatte, fand in einem der gebrauchten Kuverts, in denen am Monatsende Löhne und Gehälter ausgeteilt wurden, etwas über hundert Mark.

Hast du dich aber in Schale geworfen! Schuhe und Tasche, Hut und Handschuhe waren natürlich auch neu. Alles mußte zusammenpassen. An diesen Tagen führten sich die Damen vor, wofür sie ihr Geld ausgaben. Meist zahlten sie ein Drittel des Preises an, stotterten den Rest in kleinen Raten ab. Sie konnten nicht widerstehen; die Verführung war zu groß. Schick sein, gut aussehen, von einem Mann nach Geschäftsschluß abgeholt werden, das war die Erfüllung ihrer Träume. Für den ließe ich ein Nachtessen stehen, sagten die Verkäuferinnen, wenn sie unter sich waren und auf der Straße ein Traummann vorbeiging, sie hinter den Vorhängen standen und durch einen Spalt hinausschauten.

Laß doch mal sehen! Die hinten standen, schoben die vorderen zur Seite, wie Trauben hingen sie aneinander. Jede wollte den Star begutachten. Sie schwärmten alle von gutaussehenden Männern, merkten sich die Zeiten, zu denen sie am Schaufenster vorübergingen, versuchten ihren Namen zu erfahren, ihre Arbeitsstelle herauszufinden.

Fast jedes Lehrmädchen hatte einen Schwarm, den es anhimmelte. Wir tauften die Männer, wenn wir nicht die Namen wußten, nach der Kleidung, nach einem Körpermerkmal, nach der Haarfarbe. Im Sommer, wenn der Hausmeister

Urlaub hatte, Wiltrud und ich mit dem Handwagen zur Post und zur Bahn ziehen mußten, die angekommenen Kleiderpakete abholen, nahmen wir einen anderen Weg oder schauten zur Seite, wenn uns die umschwärmten Männer begegneten.

An den Sonntagen, an denen das Geschäft geöffnet war, lernte ich das Verkaufen. Im Laden drängten sich die Kunden. Die Menschen hatten sich vom Krieg ein bißchen erholt, zuerst einmal sattgegessen. Nun wurden die Wünsche nach Kleidern erfüllt. Ich stand zwischen den Kunden, wußte nicht, wo Mäntel, Kostüme oder Röcke, wo die unterschiedlichen Größen hingen, lief rückwärts und vorwärts. Da waren die durchsichtigen Glastüren, die Spiegel, die wehenden Vorhänge; ich bekam Ellenbogen zu spüren, Menschen rempelten mich, schubsten. Ich versuchte eine Verkäuferin zu fragen. Sie hatte selbst alle Hände voll zu tun, keine Zeit, mir lange etwas zu erklären. Mir blieb nichts übrig, als das Bedienen abzuschauen.

Schon an der Tür begrüßte ich die Damen; selten kamen sie allein. Womit kann ich dienen? Ich hatte zuvor genau zugehört. Was haben Sie für Wünsche? Einen Mantel? Bitte, kommen Sie durch.

Ich ging mit den Kunden nach hinten in den Verkaufsraum. Wenn Sie sich bitte weiter bemühen wollen. Darf ich Ihnen die Jacke abnehmen? Welchen Betrag wollen Sie ungefähr anlegen? Wollen Sie bitte diesen Mantel einmal anprobieren, nur der Größe wegen.

Ich stand hinter den Damen, hielt den Mantel in die richtige Höhe; sie schlüpften hinein. Ich führte sie vor den Spiegel. Steht er mir denn? Selbstverständlich, er kleidet Sie sehr gut. Er steht Ihnen ausgezeichnet. Der Schnitt läßt Sie schlank erscheinen. Er macht wirklich eine gute Figur. Und ein ausgezeichnetes Material, es schmeichelt Ihrem Teint.

Aber er ist doch zu lang, sagte die Kundin. Die Länge ist doch eine Bagatelle, sie läßt sich leicht regulieren. Soll ich für Sie die Schneiderin rufen? Haben Sie sich für den Mantel entschieden? Darf ich diesen Mantel für Sie aufschreiben? Haben Sie sonst noch Wünsche? Kommen Sie bitte mit zur Kasse! Hier bitte, Ihr Kassenzettel. Wollen Sie bitte hier bezahlen. Soll ich Ihnen den Mantel einpacken, oder möchten Sie ihn gleich anbehalten? Bitte sehr, Ihr Paket. Darf ich mich verabschieden. Besten Dank für den Einkauf. Ich eilte voraus, riß die Tür auf. Auf Wiedersehen! Und nochmals vielen Dank!

Am liebsten weglaufen, im Boden versinken, dachte ich, wenn Bekannte oder ehemalige Schulkameradinnen zur Tür hereinkamen. Vom Stadtrand und aus den umliegenden Dörfern waren an diesen Sonntagen Großfamilien angereist. Frauen rissen sich die Mäntel gegenseitig aus den Händen, hatten sie selbst von Ständern und Bügeln genommen, schlüpften hinein und betrachteten sich vor den Spiegeln.

Möchte der Herr nicht Platz nehmen, solange die Frau Gemahlin anprobiert? Die Hocker standen im Halbrund; Männer, schmalschultrig, nach vorn gebeugt, saßen, die Hände zwischen den Knien, mit dem Rücken zum dichten Samtvorhang, der das Schaufenster vom Laden trennte. Kinder stützten sich gelangweilt auf den Vater. Zwischen den Stuhlbeinen standen Tüten und Pakete. Der Verkaufsraum war bis in den letzten Winkel voll von Kunden.

Frauen und Töchter, Mütter und Schwestern probierten gleichzeitig Kleider und Mäntel, drehten sich, als würden sie sich zum ersten Mal in ihrem Leben selbst sehen, vor Spiegeln, stolzierten auf und ab; strichen zärtlich über den Stoff, streichelten ihn, mit einem Blick auf das Etikett überprüften sie rasch den Preis. Aufgewühlt von dem ungewohnten Erlebnis, endlich ohne Kleiderkarte und Bezugscheine einkaufen zu können, griffen sie zu, kauften ein, auch wenn sie knapp bei Kasse waren.

Viele Frauen trugen noch die gewendeten und blau eingefärbten Wehrmachtsuniformen, die ein bißchen abgeändert und mit einem Hasenpelzchen am Kragen zurechtgemacht worden waren, die karierten Dirndl aus Bettbezügen, Jacken aus störrischen Leintüchern oder Pullover aus aufgedröselten Zuckersäcken. Meist behielten die Kundinnen die neuen Sachen gleich an. Die alten blieben zurück; einige wurden mitgenommen, bei der Feld- und Stallarbeit aufgetragen. Nach den Kriegs- und Nachkriegsjahren, in denen die Frauen nur von Vorkriegsware geträumt hatten, die in ihrer Erinnerung immer besser geworden und nicht umzubringen gewesen war, wollten sie nicht mehr daherkommen wie Gesindel. Sie wollten sich in Ordnung bringen; ihr Äußeres sollte wieder stimmen.

In der Kleiderabteilung war es Vorschrift, mit den Damen in die engen Umkleidekabinen zu gehen. Es gehörte unbedingt zur Kundenberatung. Ich zog Reißverschlüsse auf und zu, Kleider über den Kopf, Gürtel durch Schlaufen, schloß Druckknöpfe, hakte Corsagen zu; atmete den Geruch der Achselhöhlen, der gewaschenen und ungewaschenen Leiber. Stürzte hinaus auf die Toilette, hielt Hände und Mund unter den kalten Wasserstrahl, trank, kehrte zurück, ja nicht auffallen, und bediente weiter.

Abends waren meine Beine schwer wie Blei vom ungewohnten Stehen, vom Treppauf und Treppab, der Rücken schmerzte vom Heben der schweren Mäntel. Ich konnte nur noch heiser krächzen vom vielen Reden. Die Ladentür wurde pünktlich geschlossen. Der Chef stand daneben und achtete darauf, daß der Schlüssel nicht zu früh umgedreht wurde. Der Umsatz am Nachmittag war gut. Das Bargeld wurde aus der Kasse genommen, die Scheine glattgestrichen, sortiert, gebündelt, nachgezählt, die Summe auf einen Beleg eingetragen. Bring das Geld noch zur Bank!

Der Schalter hatte am Sonntagabend extra eine Stunde geöffnet. Ich packte die gesamten Einnahmen in meine Handtasche, trug sie an Karussells, hinter Schaustellerbuden vorbei, durch den kleinen, dunklen Park zum rückwärtigen Eingang der Bank. Der Beamte zählte nach, quittierte. Ich hatte Feierabend. Am Montag lagen zwei Stapel Etiketten und Kassenzettel auf meinem Platz.

Die Geschäftsleitung gab sich sozial und fortschrittlich, bezahlte, um die Allgemeinbildung der Angestellten zu heben, jedes Jahr zwei Abonnementplätze im Theater. Abwechselnd konnten die Verkäuferinnen, die Damen aus der Änderungsschneiderei und aus dem Büro eine Vorstellung besuchen. Die Liste wurde im Büro geführt, die Reihenfolge streng eingehalten.

Diesmal waren Wiltrud und ich an der Reihe. Eine Operette stand auf dem Programm. Die Handlung war einfach, ein armes Mädchen lernte einen reichen Adligen kennen; nach einigen Mißverständnissen, die sich rasch aufklärten, heirateten sie.

Wiltrud und ich saßen in unseren Sonntagskleidern im Parkett und verglichen den x-beinigen Grafen in den anliegenden

Satinhosen mit Männern, die wir kannten; kicherten, lästerten, und als sich der Edelmann vor der Frau auf die Knie fallen ließ, prusteten wir vor Lachen. Die Schauspielerin in der Rolle des armen Mädchens sang, tanzte und lief so behend wie eine Verkäuferin über die Bühne.

Zufällig besuchte unser Chef mit seiner Begleitung dieselbe Vorstellung. Als wir unsere Mäntel an der Garderobe abholten, begegneten wir ihm. Der junge Kaufmann grüßte, fragte, wie uns die Aufführung gefallen habe.

Toll, sagten wir wie aus einem Mund. Die schmissige Musik, die Sänger, die prächtige Ausstattung, das Ballett, alles, so fanden wir, sei Klasse gewesen.

Es war eine Dienstbotenoperette, sagte der Geschäftsmann. Er verzog nicht das Gesicht. Das Lachen blieb mir im Halse stecken. Ich war nicht gefaßt auf diesen vorgeformten Satz, das Urteil und den überlegenen Tonfall in seiner Stimme.

Auf dem langen Heimweg ging mir das Wort Dienstbotenoperette nicht mehr aus dem Kopf. Mir fielen ähnliche Wörter aus den Geschichten ein, die mir Großmutter erzählt hatte, Dienstboteneingang, Dienstbotenwurst, Dienstbotenzimmer. Seit Großmutters Jugend konnte sich nicht viel verändert haben. Großmutter war in Stellung gegangen, sie diente bei einer Herrschaft. Heute haben Frauen eine Anstellung, und sie bedienen. Vielleicht wollte ich mich nur ablenken, der Weg war weit, und die Dunkelheit ängstigte mich. Solange ich ging, dachte ich darüber nach. Aber ich kam zu keinem Schluß.

Der Kaufmann konnte alle Telefongespräche mithören. Er vermutete, daß mich der gleiche Mann, der mir hin und wieder Briefe ins Geschäft schickte, auch öfter anrief. Eines Tages behauptete er, du hast einen Verehrer, und fragte mich neugierig, wer und wie alt dieser Mann sei, welchen Beruf er habe. Ich gab ihm eine ausweichende Antwort, dachte, daß es ihn nichts angehe, daß dies meine Privatangelegenheit sei. Er wollte aber unbedingt hinter mein Geheimnis kommen, fragte wieder und wieder. Ich gab nichts preis; protestierte zornig gegen seine allzu indiskreten Fragen. Mein Berichtsheft war abgeschlossen. Damit du deine Meinung besser zusammenfassen kannst, ordnete mein Chef an, schreibst du über das Thema ›Wie würde ich mich als junger Chef meinen Angestellten gegenüber verhalten‹ einen Aufsatz.

Inzwischen war ich in die andere Abteilung versetzt worden. Lange vor Beginn jeder Saison kam neue Ware ins Haus, im Februar, März kamen Frühjahrs- und Sommerkleider, im Juli, August und September, wenn die Sonne noch zum Baden lockte, wurden Wintermäntel, Röcke und warme Pullover ausgeliefert. Täglich trafen Pakete ein, manchmal ein Transportbus voll. An solchen Tagen arbeitete ich länger als sonst. Packte Kostüme, Kleider und Blusen aus, hängte sie auf, verglich sie mit den Lieferscheinen, kalkulierte nach den Rechnungen die Preise, druckte Etikette und zeichnete jedes Kleidungsstück aus.

Am ersten Abend, als es so spät geworden war, stand Mutter vor der Ladentür. Nur den Mantel über dem Nachthemd, holte sie mich ab. Sie hatte schon im Bett gelegen, aus Angst, mir könnte etwas passiert sein, kein Auge zugemacht, stand wieder auf, zog schnell den Mantel über und lief mir entgegen. Nach acht Uhr fuhr kein Bus mehr, und die Straßenlaternen brannten spärlich. Kam ich erst lange nach Feierabend heim, sah ich, daß Mutter über der Zeitung gehockt und auf mich gewartet hatte. Sie musterte mich von oben bis unten, betrachtete meine Kleider, die Schuhe, warf einen prüfenden Blick auf meine Haare, sagte, mit dir muß ich bald einmal reden.

Zum Auftakt der neuen Saison veranstaltete das Bekleidungshaus eine Frühjahrsmodenschau in eigenen Räumen. Der Geschäftsmann spendierte den Mannequins, die Bademäntel, Strandanzüge, Nachmittags- und Abendkleider vorführten, Sekt zwischen den Auftritten. Er kam in das Umkleidezimmer. Die Vorführdamen standen bis auf den Slip nackt, bevor sie in das nächste Modell schlüpften, geschminkt und frisiert wieder auf den Laufsteg geschickt wurden. Keine der Frauen drehte sich um, als der Chef den Raum betrat; weder die Kosmetikerin, noch die Friseuse, auch sonst erschrak keine Helferin. Niemand verbot dem Mann den Zutritt oder warf ihn hinaus. Alle plauderten, als ob nichts geschehen sei. Sie stießen mit dem Geschäftsmann an und nippten am Sekt; überspielten scherzend ihre peinliche Lage, der sie nicht entkommen konnten.

Ich war entsetzt. Litt mit den Frauen. Spürte selbst die Blicke des Mannes auf Busen und Haut. Verstand nicht, daß die Mannequins in der engen Umkleidekabine nicht in Aufruhr gerieten.

Meine Lehrzeit ging zu Ende. Im Sommer wurde ich achtzehn. Die Urlaubstage wurden genau abgerechnet, bis zum Geburtstag gab's zwei, danach nur einen freien Tag pro Monat.

Ich nahm mir ein paar Tage frei. Morgens um sechs stand Mutter vor meinem Bett, weckte mich, befahl mir, aufzustehen und ihr bei der Gartenarbeit zu helfen.

Aber ich habe doch Urlaub, murmelte ich noch ganz verschlafen. Was, sagte sie, Urlaub? In deinem Alter willst du Urlaub machen? Du hast ja kaum etwas geschafft.

Nur wer schafft, bringt's zu was! Es war ein Losungswort, das die Erwachsenen täglich auf der Zunge trugen. Zu was man's bringen wollte, wurde nicht deutlich. Jeder hatte seine eigene Idee. Mein Bruder nahm sich frühzeitig vor, ein großes Weißbrot und einen Ring Fleischwurst von seinem ersten selbstverdienten Geld zu kaufen und alles auf einen Sitz zu essen. Meist überstiegen jedoch die Wünsche das Einkommen, und ich hörte, wenn sich die Eltern anschrien, daß es diese Woche wieder für nichts reichte.

Familien, die sich aus dem Dreck gestrampelt hatten, standen höher im Ansehen. Von ihnen wurde in anerkennenden Sätzen gesprochen, damit jeder einsah, wie wichtig es war, anzupacken, und sich tüchtig ins Zeug legte.

Dem klebt das Glück an den Fingern, schwärmte Vater von erfolgreichen Freunden. Philipp versteht sein Handwerk, lobte er einen Schreiner, bei dem flutscht's. In seiner Werkstatt fliegen die Späne, der macht Geld wie Heu. Kurt kann sich auch nicht beklagen, in seinem Bäckerladen klingelt den ganzen Tag die Kasse. Da gibt ein Kunde dem anderen die Klinke in die Hand. Und vom Schuhmacher erzählte Vater, wie arm der früher gewesen war, der hatte das Brot nicht über Nacht im Haus. Jetzt läuft's da wie geschmiert, da helfen alle Heiligen.

Ich sah mich von lauter strebsamen Leuten umgeben und war stolz, als mich mein Chef lobte: Ihre Tochter macht Fortschritte, hatte er unter einen Lehrlingsbericht gekritzelt, sie läßt sich gut an.

Meine Meuterei gegen die Langeweile im Büro war vergessen. Innerhalb eines Jahres war ich bescheiden und einsichtig geworden. Mein Versuch, aus dem immer üppiger wuchernden Hexenring herauszukommen, war gescheitert, obwohl ich davon überzeugt gewesen war, alles anders zu machen. Die Erwachsenen hatten mich gebändigt.

Ich freute mich, wenn ich alle Arbeit, die morgens auf dem Schreibtisch lag, am Abend erledigt hatte. Da mußte schon der Teufel auf Stelzen kommen, wenn ich's nicht schaffte. Ich war davon überzeugt, wenn ich mich für die Firma einsetzte, kann mein Erfolg nicht ausbleiben.

Der Zahltag verzauberte mich. Ich fühlte mich wie Marie, die gerade durch den Torbogen gegangen und mit Gold überschüttet worden war. Die neunzig Mark am Monatsende versetzten mich in einen Rausch. Der größte Teil meines Gehaltes wurde in Damastbezügen, Tafeldecken, Servietten und versilberten Bestecken angelegt, für meine Aussteuer; als heiratete ich demnächst und feierte mein Lebtag nur Feste. Vom Rest konnte ich nach und nach zerschlissene Kleider, ausgetretene Schuhe und selbstgenähte Unterwäsche aus den Nachkriegsjahren ersetzen.

Zufällig hatte ich gehört, wie sich Kolleginnen unterhielten: Die Sowieso ist die rechte Hand des Chefs. Ich ging davon aus, daß alle diese Frau beneideten. Nun hatte ich ein Vorbild. Die Frau trug die Schlüssel der Ladentür und des Kassenschrankes in der Tasche, kam morgens eine halbe Stunde früher, verzichtete auf die Mittagspause. Abends, wenn die letzte Verkäuferin den Laden verlassen hatte, die Kasse abgerechnet, das Geld gezählt und in Stahlkassetten verstaut war, sperrte sie die Tür zu und ging als letzte.

Ab und zu, wenn ich vom Stenografiekurs nach Hause ging, sah ich, daß über ihrem Schreibtisch noch Licht brannte. Sie erledigte alle Arbeiten unglaublich sorgfältig, blieb abends lieber ein, zwei Stunden länger im Büro, damit sie bei der Buchführung von niemandem gestört wurde. Gelassen nahm sie hin, daß ihr keine Zeit für Freundschaften blieb und sie ihren Urlaub nur ratenweise nehmen konnte. Ohne sie ging es nicht.

Soweit wollte ich es bringen. Meine Zukunft lag klar vor mir. Stolz hob ich den Kopf, war von meiner Arbeit begeistert, empfand sie als leicht gegenüber der meines Vaters. Ich war sicher, daß es Jahre dauerte, bis ich mich in eine solche Stellung hochgekämpft haben würde.

Die anderthalbstündige Mittagspause durfte ich selbst im Winter nicht zum Busfahren und zum bequemen Herumsitzen am Mittagstisch verplempern. Zusammenhalten und Sparen, das war eine andere Möglichkeit, zu etwas zu kommen: Die zwei Zehner für das Fahrgeld bleiben in der Tasche. Du hast ja Beine bis auf den Boden, geh zu Fuß! Die Luft tut dir gut, sie ist gesünder als der Mief im Bus. Der Regen glättet die Haut, macht die Haare lockig; die Kälte härtet ab. Mit dem Bus um die Wette laufen, ihm ein Schnippchen schlagen, das waren tägliche Wettbewerbe, die ich gewinnen konnte.

Es genügte, daß man mich zu Hause dabei erwischte, wenn ich Fingernägel feilte, die Haare bürstete oder gar die Lippen nachzog. Sofort war ich als affig und eingebildet verschrien. Garantiert brach die Androhung meines bevorstehenden Unterganges über mich herein. Du bringst es deiner Lebtag zu nichts. Menschen, die auf Äußerlichkeiten Wert legten, schafften es nicht, das stand unwiderruflich fest. Mädchen, die sich herrichteten, waren verloren. Wenn du so weitermachst, wirst du schon sehen, wo du endest.

Die Erziehungsanstalt, die ich schon aus früheren Beschreibungen kannte, wurde mir erneut angedroht. Aber nun sahen meine Eltern als weiteren Abstieg meine totale Verelendung voraus. Einen Korb voll selbstgepflückter Heidelbeeren wirst du auf dem Kopf in die Stadt tragen und becherweise auf dem Markt verkaufen. Irgendwie mußt du ja für dein Maul aufkommen, wenn du nicht verhungern willst, drohten sie. Du bist auf dem Holzweg, wenn du glaubst, du kannst ewig deine Beine unter unseren Tisch strecken.

Meine Eltern hatten von vornherein darauf geachtet, kein verzärteltes Geschöpf großzuziehen. Sie wollten kein Hätschelkind, das dem Leben nicht gewachsen war. Nur ahnten sie nicht, daß ich mich bereits entschieden hatte: Die Regeln, die sie in mir zurückgelassen hatten, ersetzten alle Worte.

11

Die Kinovorstellung war zu Ende, das Licht ging an, wir waren durcheinander und wußten nicht, wohin wir gehen sollten. Ein Menschenstrom zwängte sich aus den Bankreihen, durch den schmalen Hinterhof auf die Straße. Schrittweise ging es vorwärts; wir reihten uns ein.

Wir hatten den Film ›Triumphbogen‹ gesehen und waren ganz benommen davon, standen im Dunkeln und wußten nicht, wo wir waren. Die Bilder von Paris füllten meinen Kopf. Zum ersten Mal hatte ich von den Emigranten erfahren, wie sie sich andauernd verstecken mußten, verfolgt wurden, flohen, sich erneut in irgendeinem Loch verkrochen. Ich hatte Mitleid mit Dr. Ravic, dem Arzt.

Hupen, Schreie und Lichter machten uns wieder lebendig. Der Film lenkt ganz schön ab, sagte sie, noch ganz aufgewühlt und verwirrt. Jeden Freitag holte sie mich am Geschäft ab. Mutter ging gern ins Kino. Der Film verdrängte das alltägliche Einerlei, ließ sie den Haushalt vergessen, holte schnell die Gedanken, die nur darauf lauerten, geweckt zu werden, hervor. Die einzige Abwechslung, die ich habe, sagte sie.

Zuerst hatte sie mich in ›Die goldene Stadt‹, in ›Immensee‹ geführt, zeigte mir Kristina Söderbaum, deren Filme sie schon während des Krieges bewundert hatte. Damals begann die große Zeit der Farbfilme. Ich kann mich noch gut an die rotglänzende Satinbluse der Frau aus Prag entsinnen, die in dem Film die Tante spielte, an ihren pomadigen Sohn, den Verführer, und an das blonde Mädchen, wie es im Wasser versank. Aus ›Aquis submersus‹ blieb das Lateinische culpa patris haften und hakte sich fest.

Bald darauf hatte Mutter Ingrid Bergman entdeckt. In ihren Filmen vergaß sie sogar Zarah Leander. Ingrid Bergman verdrängte Maria Schell und Dieter Borsche. Die blonde Frau aus Schweden rückte an die erste Stelle. In dem Film ›Wem die Stunde schlägt‹ sollte die Bergman am besten sein, hatte Mutter in einer Illustrierten gelesen und lange für Karten angestanden. Sie wollte Maria, das Mädchen mit den kurzgeschorenen Haaren, sehen und wünschte, daß ich sie begleitete. Kam sich vor, als habe sie selbst das Drehbuch geschrieben, den Inhalt erfunden, um mich mit dem Leben, oder dem, was sie darunter verstand, vertraut zu machen. Sie dachte dem Filmgeschehen nach, betrachtete die Handlung als Wirklichkeit.

Du hast es gut, sagte sie, und knöpfte ihren Mantel zu. Im Dunkeln überquerten wir die Straße, gingen dicht nebeneinander. Du hast es gut, wiederholte sie, wie einen Vorwurf. Verglich mich mit dem Mädchen im Film oder mit sich. Schaute mich nicht an, sprach nur zu sich selbst. Der Film hatte ihre Gedanken aufgerührt; sie überdachte ihr Leben. Sah nur die Frau in dem zerrissenen Lodenmantel, die Löcher und Winkelhaken mit Sicherheitsnadeln zusammengesteckt, ihre eigene Mutter. Sie konnte die Gestalt neben sich nicht loswerden, nicht aus ihrem Kopf verdrängen, nicht aus ihrem Gedächtnis verbannen. Geh doch auf die andere Straßenseite, wenn du dich mit mir schämst, habe ihre Mutter zu ihr gesagt, dann merken die Leute nicht, daß wir zusammengehören.

Großmutter war tot. Aber nicht die Erinnerung an sie. Mit ihrem beispiellosen Geiz hatte sie ihre Tochter eingeengt und verunsichert. Nie gab sie eine Mark aus für Stoff oder ein neues Kleid, nie einen Schein für Schuhe oder einen Mantel. Sie konnte sich nicht von ihrem Geld trennen. Hatte Äcker, Wiesen und Wälder, die sie von ihrem Vater geerbt hatte, verkauft und das Geld auf die Bank getragen. Nur sparen, etwas auf die hohe Kante legen, ein Vermögen ansammeln, Pfennig zu Pfennig, Mark zu Mark. Wer den Pfennig nicht ehrt. Die Kleider, die sie besaß, hatten ihr die Herrschaften, bei denen sie diente, geschenkt. Meist waren es uralte Sachen, von Motten zerfressen. – Das war kein Sparen, erinnerte sich Mutter, das war Geiz.

Als meine Mutter gestorben war, erinnerte sie sich, traute ich mich nicht, den Schlüssel aus ihrem Nachttisch zu nehmen, ihren Kleiderschrank aufzuschließen, das Sparbuch zu suchen, ihr Geld von der Bank abzuheben. Ich fühlte, wie sie hinter mir stand, wie sie mich beobachtete, wie sie mir über die Schulter schaute, was ich mit ihren Kleidern machte, was mit der Wäsche geschah. Ich spürte körperlich, wie sie über ihr Geld wachte, damit ich es nicht veruntreute, wie sie darauf achtete, daß ich keinen Pfennig für Überflüssiges ausgab. Obwohl sie gestorben war, wagte ich nicht, es anzutasten. Bei der Währungsreform ging alles verloren. Es war am besten so. Mutter bedauerte nicht, daß von dem Gesparten nichts übriggeblieben war.

So hatte ich Großmutter nicht gekannt, so kleinlich, knauserig und engherzig. Vielleicht war sie nur mir gegenüber anders gewesen. Ich fürchtete, daß Mutter die Erinnerung meiner Kindheit rauben, mein schönes Bild von Großmutter zerstören könnte. Aber sie ist lange tot, wagte ich Mutter abzulenken, sie kann dir nicht mehr dreinreden.

Nein, jetzt nicht mehr. Jetzt kann ich machen, was ich will. Aber nun ist es zu spät, stöhnte sie wie in einem bösen Traum. Sie war, trotz Großmutters Tod vor vier Jahren, immer noch eine Gefangene.

Mutter ließ nicht ab. Sie erzählte am liebsten, wenn sie mich nicht anschauen mußte, wenn es dunkel war und wir nebeneinandergingen. Dann redete sie in die Nacht ohne Scheu. Das Sprechen fiel ihr leichter. Sie brauchte ihre Augen vor mir nicht zu zeigen. Tagsüber wirkte sie niedergedrückt, von Zwängen eingeschnürt. Verkrampft gab sie ihre Verbitterung an mich weiter, konnte sich nicht aus der Umklammerung ihrer Mutter befreien.

Deine Großmutter hat sich bei allem, was ich tat, quergestellt. Sie hat mir alle Wege blockiert, kam nicht zu meiner Hochzeit, noch nicht einmal in die Kirche zur Trauung. Sie forderte die Aussteuer, die sie für mich angeschafft hatte, wieder zurück. Ich will doch keinen Schlosser in der Familie. Wie stehe ich denn da mit einem Arbeiter als Schwiegersohn, habe Großmutter gesagt. Stell dir mal vor, was die Verwandtschaft dazu sagen wird.

Es gibt auch anständige Arbeiter, hatte sie entgegengehalten. Ein Mensch kann sich ändern. Ich werde ihn schon zurechtbiegen.

Wenn es dir nur gelingt, warnte ihre Mutter, bevor sie ging und die Wohnung ihrer Tochter lange nicht betrat. Sie ließ sich bis zur Geburt ihrer Enkelin nicht mehr bei der Tochter sehen, sprach nicht mit ihr, machte aus ihrem Haß und ihrer Verachtung für den Schwiegersohn kein Hehl.

Mutter stand zwischen ihrem Mann und ihrer Mutter. Die Gegensätze, in denen sie lebte, hätten sie zerreißen können. Sie hatte es nicht geschafft, sich aus diesem Zwiespalt zu lösen, hatte es nie ernsthaft versucht, konnte sich nicht entscheiden, auf wessen Seite sie sich schlagen sollte.

Als sie erkannte, daß sie schwanger war, überkam sie Angst. Sie wußte von der ersten Minute an, daß sie den Erzeuger ihres Kindes heiraten mußte. Um keinen Preis wollte sie ein uneheliches Kind zur Welt bringen. Wie der Alltag eines solchen Kindes aussah, hatte sie erfahren.

Sobald sie in der Schule aufgerufen und nach dem Vater gefragt wurde, mußte sie nach vorn zum Pult gehen und ihre uneheliche Geburt eingestehen. Ich bin unehelich. Beim Beginn eines neuen Schuljahres, wenn ein neuer Lehrer den Unterricht übernahm, war sie dem gehässigen Spott, der rücksichtslosen Verhöhnung ausgesetzt, spürte sie die Zeigefinger ihrer Mitschüler im Rücken. Ob sie nun in die Fortbildungsschule oder in die Lehre ging, eine Stelle antrat, ganz gleich wo, sie fühlte sich sofort als schwarzes Schaf. Auf sie konnte man einschlagen, alle Schmähungen ihr anhängen; niemals kam ein Vater, nie die Mutter, um ihr Kind in Schutz zu nehmen. Sie war hilflos ohne Rückhalt, war immer der Sündenbock, wenn es jemanden zu bestrafen galt.

Im Dorf, wo sie aufgewachsen war, ging man nicht zimperlich mit Pflegekindern um. Sie gehörte nicht dazu, besaß nichts, was auf dem Land zählte, keine Felder, kein Vieh, nicht mal einen Vater. So war sie keine Partie für einen Bauern.

Sie erzählte von Dorfbuben, die ihr in jungen Jahren nachgestellt hatten, ihren Freund, der sie beschützen wollte, einfingen und in ein hölzernes Aborthäuschen sperrten. Später lernte sie liebenswürdige Verehrer kennen, die sie höflich nach Hause begleiteten, sich beiläufig nach dem Beruf ihres Vaters erkundigten und sich dann nicht mehr blicken ließen. Sie kannte auch die Sprüche von verheirateten Männern, die alleinstehenden, berufstätigen Frauen eine Zeitlang den Hof machten, und wußte, wie ausfällig diese Herren wurden, wenn sich die Frauen ihren Wünschen widersetzten.

Bei ihrer Trauung in der Hitler-Zeit hatte sie den Nachweis ihrer arischen Abstammung zu führen. In ihrer Geburtsurkunde stand: Von der ledigen Dienstmagd Elisabeth wurde im Wöchnerinnen-Asyl ein Mädchen geboren. So wollte es im Jahr 1902 eine menschenverachtende Vorschrift, die dazu anstiftete, auf diese Kinder zu spucken. Eine Vorschrift, die ledigen Müttern und ihren Kindern keinen anderen Ausweg ließ, als so zu werden, wie es die Gesellschaft von ihnen erwartete: unterwürfig, demütig, minderwertig. Sie mußten das absolut Wertlose ihrer Existenz einsehen, um ja nicht auf die Idee zu kommen, gegen solche Herabsetzung aufzubegehren.

Sie heiratete den Vater ihres Kindes, hoffte inständig, einen Sohn zu gebären, von dem sie zu wissen glaubte, daß er ihr keine Schande machen werde. Als sie nach neun Monaten ein Mädchen gebar, war sie entsetzt, verzweifelt, empfand es als persönliches Versagen, wandte sich von dem Mädchen ab und überließ es die ersten Jahre der Großmutter. Sie war unfähig, an dem Mädchen auch nur das Geringste gut zu finden, sah es nur mit den schlechten Eigenschaften der Verwandtschaft beladen. Konnte es niemals loben, nicht einmal mit einer Lüge trösten; redete ihrer Tochter ein, häßlich zu sein, aus Angst, dem Mädchen könnte die gleiche Katastrophe wie der Großmutter zum Verhängnis werden, und versuchte mit Drohungen, Kontrollen und Einschüchterungen, das ihr unvermeidlich scheinende Unglück abzuwenden.

Und Hermann dachte, mit dieser Frau werde er es schaffen. Er bildete sich ein, sie habe die gleichen Ambitionen wie er, habe vor allem schon ein beschwerliches Stück des Weges zurückgelegt. Mit ihr wollte er nach oben kommen. Sie bot die besten Voraussetzungen für einen Aufstieg. Sie war eine Amtsperson. Obwohl er alle, die sitzend ihr Geld verdienten, verachtete, als papierne Tagelöhner verspottete, als Federfuchser abwertete, hegte er doch, ohne es je zuzugeben, eine ungeheure Achtung für diese Frau. Mit ihr werde er sein Glück machen, dachte er, da brauche er nur noch die Mütze an den Nagel zu hängen.

Er verdiente nicht schlecht als Brückenbauer. Er sah aber auch ein: Für das, was vorhanden ist, braucht man nicht mehr zu arbeiten. Er dachte das nicht selbst, seine Mutter trichterte es ihm so lange ein, bis er glaubte, er habe es selbst gedacht. Für ihn hatte Geld nur einen Sinn: es wieder auszugeben, sich etwas dafür zu leisten.

Karl schrieb mir von der Liebe Vaters zu einer anderen Frau: Um das Jahr 1931 erfuhr ich zum ersten Mal von der Existenz einer Frau im Leben deines Vaters. Er schwärmte von ihr. Ein Jahr später, ich schaute selbst schon nach den

Mädchen, lernte ich sie kennen. Die Freundin deines Vaters war ein Mädchen mit blauen Augen und schwarzen Haaren, hatte eine etwas dunkle Gesichtsfarbe und war sehr schlank. Sie war Jüdin. Bis zum heutigen Tag hat mich keine Frau so beeindruckt wie Thea.

Wir gingen zum Café Käfer, saßen am Fenster, dort, wo die feinen Leute ihren Platz hatten, schauten auf Markt- und Eisenbahnstraße. Hermann und Thea tanzten. Sie waren sehr verliebt. Am Tisch unterhielten sie sich über Bücher, Theater und Filme. Mit Stolz stellte ich fest, daß Hermann eine ganz andere Sprache sprechen konnte als die, die ich bisher von ihm gehört hatte. Die tiefe Zuneigung zu Thea und die Freundschaft mit ihr sind wahrscheinlich Sternstunden in seinem Leben gewesen. Ich frage mich, welchen Verlauf das Leben deines Vaters an der Seite dieser Frau genommen hätte. Sie waren verlobt gewesen. Thea und ihre Familie wanderten wenig später aus.

Hermann glaubte, als Brückenbauer seinen Vater in den Schatten gestellt zu haben. Jetzt sah er sich imstande, einen zweiten Schritt zu wagen, er wollte eine Familie gründen. Freilich, es war nicht alles so gelaufen, wie er es sich gewünscht hatte. Die politischen Verhältnisse hatten ihm einen Strich durch seine Pläne gemacht. Und was den Umgang mit Frauen anging, war er ein bißchen steif und ungeschickt. Auf den Baustellen war er nur von rauhbeinigen Männern umgeben. Aber an jenem langen Silvesterabend in der Nacht von dreiunddreißig auf vierunddreißig verlobte er sich mit der Frau, von der er dachte, sie werde die Richtige sein.

Die einzige Bedingung, die Hermann stellte, war, daß sie ihren Vornamen änderte. Elsa Klara, dieser italienisch klingende, romantische Name, auf den sie so stolz war, sie ließ sich viele Jahre nach ihrer Heirat noch gerne damit anreden. Er klang ihm zu opernhaft, zu übertrieben. Den zweiten Namen beachtete er überhaupt nicht, und das breite A am Ende des ersten Namens wollte er abtrennen und durch ein knappes E ersetzen, Else. Er versuchte, sie zu ändern, sie durch einen kürzer klingenden Namen in eine andere Person zu verwandeln, sie von ihrer Tradition abzuschneiden. Er nahm sich vor, sie nach seinen Vorstellungen zu formen.

Doch sie lebte ständig in der Gralserzählung, ihrer Lieblingsgeschichte. Konnte die Sagengestalt darin nicht vergessen; identifizierte sich immer aufs neue mit Elsa von Brabant und erwartete, daß ihr Lohengrin erscheine. Sah darin ihre einzige Chance, immer wieder einen Traum lang eine andere zu sein; war längst gewohnt, in die vertraute Bühnengestalt hineinzuschlüpfen. Es war schwer, herauszufinden, wer sie wirklich war.

In der Montur des Brückenbauers vermutete sie einen verwunschenen Prinzen, der aus der Götterwelt zu ihr gekommen war, ihr beizustehen. Sie glaubte, hinter dem Schweißerschild verstecke sich ein anderer. Er mußte doch von Parzival gesandt sein, sie zu retten. Ihr ganzes Leben lang war sie auf der Suche nach dem Helden, fragte ihn ständig nach seinem Namen, konnte es bis zum Schluß nicht für möglich halten, daß er, den sie für Lohengrin hielt, sich ihr nicht zeigte, durch nichts zu erkennen gab. Am Ende war sie enttäuscht von ihm.

Daraus zog sie die Erkenntnis, heirate nie einen Mann in blauen Kleidern!

Die Verunstaltung ihres Namens brachte sie für eine Weile aus dem Gleichgewicht. Aber ihre Verwandten nannten sie weiterhin Elsa. Und so wuchs der von ihr abgetrennte Teil immer wieder nach, wie die Zweige eines beschnittenen Baumes. Sie wünschte sich einen Partner, der bei ihr blieb. Sie war immer allein gewesen. Das Schlimmste, was er ihr antun konnte, war, sie wieder allein zu lassen. Mit allen Mitteln versuchte sie, ihn an sich zu binden. Glaubte, wenn sie ein Haus besitze, würden sie ein ruhigeres Leben haben. In einem eigenen Haus würde ihre Ehe besser funktionieren. Ihre Kinder würden sich wohlfühlen und gedeihen.

Sie war enttäuscht, verfluchte seine Wirtshausgeherei. Er war ihr zu eitel; vor allem aber zu wenig häuslich. Sie beendeten keine Auseinandersetzung, ohne sich die Rechnung ihrer Abstammung aufzumachen. Er hielt ihr die dickfelligen, sturen Bauern vor, sie ihm scharfzüngig seine Proleten. Sie wollten einander beleidigen, verletzen. Keiner hatte ein Einsehen; bei ihrem Streit nahmen sie keine Rücksicht auf die Kinder.

Ihre Worte erschütterten mich. So wie sie wollte ich es in meinem Leben nicht machen.

12

Blaß und schmallippig kam Vater nach Hause. Ist etwas passiert? fragte Mutter erstaunt. Es war ungewöhnlich, daß er so früh die Werkstatt verließ. Mir geht es verdammt schlecht. Ich glaube, ich bin krank. Seine rotgeränderten Augen glänzten fiebrig; er hatte Schüttelfrost, nahm eine Wolldecke, hing sie sich um die Schulter und legte sich auf das Sofa.

Wir holen den Arzt. Du hast über vierzig Fieber, entschied sie, nachdem sie das Thermometer abgelesen hatte. Vaters Körper verkrampfte sich zusehends, er zitterte und zog die Beine an den Leib. Wir hatten alle Mühe, ihn ins Bett zu schaffen. Aber vom Arzt wollte er nichts wissen.

Sein entzündetes Bein verschwieg er, wickelte Tag für Tag Binden drumherum, und wenn jemand dahinterkam, daß er eine Wunde am Bein hatte, log er. Ich habe mir den Unterschenkel beim Schweißen verbrannt. In Wirklichkeit wurden die Krampfadern, die er sich durch seinen Beruf zugezogen hatte, durch das Motorradfahren ständig gereizt. Sie entzündeten sich und näßten. Das Bein sah schlimm aus. Blau, rot und violett schimmerte die papierdünne Haut. Schon mehrmals war die Wunde aufgebrochen, eiterte; er gab sich Mühe, das Beingeschwür, so gut er konnte, zu pflegen.

Ein offenes Bein war eine Frauenkrankheit. Er wollte nicht zugeben, eine solche Wunde zu haben, ging nie zum Arzt, besorgte sich Salben und Puder bei einem älteren Fräulein in der Apotheke, die ihn vom Stahlwerk her kannte und gern bemutterte.

Kam das hohe Fieber von dem kranken Bein? War es eine Venenentzündung, oder hatte es eine andere Ursache. Mutter war ratlos, lief aufgeregt mit Schüsseln und Tüchern zwischen Schlafzimmer und Küche hin und her, machte Umschläge, kühlte, versuchte das Fieber zu senken.

Vater fror unter den kalten Wickeln. Seine Zähne schlugen aufeinander. Der Fieberanfall wurde schlimmer. Sie wußte sich nicht mehr zu helfen, lief, ohne die Schürze abzubinden, ein paar Häuser weiter zum Lebensmittelgeschäft, wo das einzige Telefon in der Siedlung stand, und rief den Hausarzt an.

Der Arzt kam, untersuchte ihn, hörte ihn ab, betrachtete

sein entzündetes Bein, fühlte den Puls. Wenn mich nicht alles täuscht, stellte der Doktor fest, haben Sie einen Malaria-Rückfall. Waren Sie nicht als Soldat an der Kanalküste eingesetzt?

In Vaters Nachttischschublade lagen, seit er von der Wehrmacht entlassen worden war, ständig Tablettenschachteln. Er hatte schon während seiner Militärzeit unter Malariaanfällen gelitten. Auch kurz danach überfielen ihn diese Fieberschübe in Abständen. Beim Tabletteneinnehmen war Vater jedoch unzuverlässig. Manchmal nahm er fünf Stück auf einmal, dann wieder tagelang keine einzige. Flüssige Arznei trank er aus der Flasche, benutzte keinen Löffel zum Abmessen.

Jahre waren seit dem Krieg vergangen. Vater hatte gedacht, die Krankheit sei überstanden, und hatte nichts mehr dagegen unternommen. Nun war sie wieder zurückgekehrt, hatte ihn gepackt und eine Woche lang nicht hochkommen lassen.

Kraftlos, auf wackeligen Beinen, verließ er das Bett. Seine Haut wirkte gelblich welk. Er setzte sich an den Küchentisch und begann zu rechnen. Bestand darauf, wieder zu arbeiten. Leute, die ein bißchen Fieber zum Vorwand nahmen, um krank zu feiern, konnte er nicht ausstehen.

Vor ihm auf dem Tisch lagen Leistungsverzeichnisse; sie waren auszufüllen. Submissionen nannte man das Ausschreiben von Aufträgen, und der Vorgang glich jedesmal einem Lotteriespiel.

Der Wiederaufbau der zerstörten Geschäftshäuser hatte begonnen. Ein Baugerüst wuchs neben dem andern im Zentrum der Stadt aus den eingefallenen Kellern. Die alten Grundstücksgrenzen wurden eingehalten, nichts veränderte sich. Mutter wußte noch von früher, wer die besten Lagen in der Stadt besaß.

Du mußt dich um Arbeit kümmern, trieb sie Vater zusätzlich an. Kaum, daß er den Anfall überstanden hatte, suchte er die Architekten auf, ging zu den Bauherren, redete mit ihnen, damit sie ihm einen Auftrag gaben oder ihn zu einer Submission einluden.

Hast du gesehen, sie bauen den Filmpalast wieder auf! Sieh zu, daß du ins Geschäft kommst.

Vater mußte sich umstellen. Treppen- und Balkongeländer, schmiedeeiserne Ziergitter, Stahlfenster und -türen waren

Dinge, die nun gefragt waren. Aber damit hatte er bisher nie zu tun gehabt. Er verstand nicht viel von Bauschlosserei.

Gewiß, beim Lesen und Übertragen der Baupläne vom Papier in die Realität machte ihm so schnell keiner etwas vor. Aber das Zurichten der zierlichen Gitterstäbe, das Ausschmieden der Rosetten, das kunstvolle Drehen der Zwirbel an den Schlußstäben der Geländer hatte er nicht gelernt. Brücken- und Hallenkonstruktionen aufzustellen, mußte er größeren Betrieben mit besserer Ausrüstung überlassen, da blieb für ihn nur manchmal ein Vordach. Wollte er seine Selbständigkeit bewahren, blieb ihm nichts anderes übrig, als einen tüchtigen Meister einzustellen, der Erfahrung im Bauschlosserhandwerk mitbrachte und die Lehrlinge an den Schraubstöcken überwachte.

Ich werde es schon wieder lernen! Sein Ehrgeiz tauchte verschwommen auf. Seine Stimme schien mir nicht mehr so entschlossen wie früher. Man muß es nur richtig wollen ... Er stand nur halb hinter seinen Vorsätzen. Den Schritt vom Schlossermeister zum Unternehmer, würde er ihn schaffen?

Vater kam von einem Architektenbesuch nach Hause. Diese Architekten machen mich noch verrückt! Sie bringen mich noch ins Irrenhaus. Künstlernaturen! Nichts als überspannte Ideen haben sie im Kopf! Kein bißchen normalen Menschenverstand. Das soll ein Schlosser dann ausführen. Sitzen arrogant und eingebildet hinter ihren Schreibtischen, hecken Hirngespinste aus und verlangen von mir, das Unmögliche in die Tat umzusetzen.

Wenn du zum zehnten Mal in ein Büro kommst und brauchst dich nicht mehr mit Namen vorzustellen, dann hast du es geschafft, redete er sich seine Komplexe von der Seele. Mit dem Hut in der Hand vor dem Schreibtisch des Architekten zu stehen, war nicht Vaters Sache. Er hatte nicht die Art, zu buckeln, es allen recht zu machen, mit großen Gesten Geldscheine zu verteilen oder Präsente ins Haus zu schicken. Es lag ihm nicht, mit Geschenken Hintertüren zu öffnen, um an einen Auftrag zu kommen. Er war nicht gerissen und hatte nicht das, was man unter guten Beziehungen verstand.

Ganze Sonntage saß er zu Hause, zog Material aus den Stücklisten, rechnete es in Kilo um, suchte auf Listen der Lieferfirmen die Preise, schätzte die Arbeitszeit, überschlug

Transport- und Montagekosten, multiplizierte, addierte. Es kam auf jeden Pfennig an. Der billigste Anbieter bekam den Auftrag. Vorschriften, daß Kinder nicht den Kopf zwischen Geländerstäbe stecken konnten, mußten beachtet werden. Die Höhe der Balkonbrüstungen war vorgeschrieben. Ganze Seiten in seinem Notizbuch füllten sich mit Zahlen.

Ich brauche unbedingt den Auftrag, sonst stehen meine Leute ohne Arbeit in der Werkstatt. Diese ewige Schreiberei! Wieviel Zeit ich damit verliere! schimpfte er. Jedes Angebot mußte er handschriftlich aufsetzen. Mutter hatte keine Ahnung von Flacheisen, Winkeleisen, Rundeisen, von Riffelblechen, Flanschen, Krümmungen und Rohrschellen. Sie hatte nie gelernt, Kalkulationen aufzustellen, stand nicht dabei, wenn die Arbeiten in der Werkstatt ausgeführt wurden und kannte die Fachausdrücke erst auswendig, nachdem sie viele Jahre Vaters Originale abgetippt hatte. Ich bitte um Ihren geschätzten Auftrag, war der einzige Satz, den sie mit der alten Underwood-Schreibmaschine, die Vater eines Tages bei einem von ihr als Wirtshausgeschäft bezeichneten Handel mit nach Hause gebracht hatte, selbständig daruntersetzte.

Sobald er die Offerte abgegeben hatte, kehrte er in künstlicher Hochstimmung zurück. Die Sache ist zwar noch nicht spruchreif, aber ich habe den Auftrag so gut wie in der Tasche. Er verplante das Geld für Arbeiten, die noch nicht geschafft waren, zählte auf, ich werde mir wieder eine Drehbank kaufen, eine elektrische Schleifmaschine, eine Fräse, ein Auto. Er rieb sich die Hände, war guter Laune und verteilte das Fell, bevor er den Bären gefangen hatte. Jeden Tag, den er bis zur Auftragsvergabe warten mußte, sah er seine Aussichten schwinden. Er begann zu jammern. Wenn ich diesmal den Zuschlag nicht bekomme, was mache ich dann? Die Leute stehen herum, haben nichts zu tun, kosten Geld. Die Miete für die neue Werkstatt, die Unkosten! Wo soll ich das Geld hernehmen für den Zahltag? Geldsorgen! Immer wieder Geldsorgen.

Bekam er den Auftrag, lebte er auf. Wurden ihm die Schlosserarbeiten an einem Neubau übertragen, eilte er sofort auf die Baustelle, packte Pläne an Ort und Stelle aus, stellte das Metermaß an die Treppenstufen, verglich die Rohbaumaße mit denen in den Plänen, notierte sich die Steigung der

Treppe, die Tritthöhe, die Krümmungsbogen an den Podesten. Ging zum Lieferanten, bestellte das Eisen, fuhr zur Werkstatt, zeichnete mit Kreide auf eine Tafel Schwarzblech ein Bild des Treppengeländers nach den Originalmaßen, damit es sich alle Mitarbeiter vorstellen konnten.

Die Lehrlinge schoben auf großen Zweiradkarren das Langeisen über das Katzenkopfpflaster der Stadt. Die Stäbe hingen vorn und hinten bis auf die Fahrbahn, schlugen Funken, wenn sie die Pflastersteine berührten. Waren die Stäbe geschmiedet, zu Gittern und Geländern zusammengeschweißt, luden die Lehrbuben die schweren Brocken auf die Karren und fuhren sie zur Baustelle. Die Schlosser freuten sich, wenn Verputzer oder Maurer einen Flaschenzug am Neubau hängenließen und sie ihn zum Hochziehen der Eisenteile benutzen konnten.

Waren Türen, Kellergitter, Geländer und Handläufe montiert, kamen die Architekten zur Abnahme. Ihr geübter Blick ließ sich nicht täuschen. Sie begutachteten die fertigen Arbeiten, liefen mit Meter und Wasserwaage, Bleistift und Notizblock im Neubau herum, prüften, ob die Schweißnähte glatt genug gefeilt waren; legten die Wasserwaage auf Geländerbrüstungen, schauten, ob die vorgeschriebenen Formen und Abstände der handgeschmiedeten Stäbe eingehalten, sahen nach, ob die Marmorstufen beim Löcherschlagen nicht beschädigt worden waren. Sie nahmen das Geländer in die Hand und rüttelten, erprobten Stabilität und Standfestigkeit; achteten darauf, daß kein Hammerschlag die glatten Handläufe verbeulte. Sie beanstandeten jeden Spritzer, der beim Verschleifen eine Glasscheibe getroffen hatte.

Übelgelaunt kam Vater zum Essen. Er stützte den Kopf auf, sagte kein Wort. Das war gefährlich. Jeder wußte, was die Uhr geschlagen hatte.

Den ganzen Vormittag habe ich versäumt. Diese Besserwisser! Er machte sich Luft. Das Gewitter entlud sich. Niemand in der Familie wagte, ein Wort zu sagen. Schweigend saßen wir über den Tellern. Diese Angeber! Mäkeln und stänkern an meiner Arbeit herum. Was die sich einbilden! Er fühlte sich gemaßregelt, blamiert. Die überhebliche Art der Leute von den Planungsbüros ertrug er nicht. Er war sicher, alle Arbeiten ordnungsgemäß ausgeführt und eingesetzt zu haben. Nun kränkte ihn die seiner Ansicht nach ungerechtfertigte Kritik.

Er schlug mit der Faust auf den Küchentisch, daß die Bestecke an das Porzellan schlugen, die Suppe in den Tellern spritzte. Erst muß man hingehen und um Arbeit anhalten, dann kommen sie und suchen in den Krümeln, nur um den Preis zu drücken.

Ich sitze den ganzen Sonntag und rechne, kaufe Material ein, zahle die Löhne im voraus aus meiner Tasche und kann auf mein Geld warten. Wie ich sie alle hasse, höre ich meinen Vater schreien. Die papiernen Tagelöhner, die nichts anderes zu tun haben, als den lieben langen Tag Bleistifte zu spitzen. Die Federfuchser mit ihren verkniffenen Gesichtern! Hohläugig sitzen sie hinter dem warmen Ofen, haben keine Ahnung, wie draußen das Geld verdient wird. Wenn sie nur einen warmen Arsch haben. Alles Schreibtischhelden; wohnen im Wolkenkuckucksheim. Wenn sie in den Neubau gehen, ist es ein Ausflug für sie. Unterwegs müssen sie einkehren, essen und trinken, weil ihnen der Weg zu weit und zu anstrengend ist. Sie haben die Hosten gestrichen voll, wenn ihnen einmal der Wind um die Nase weht. Der Teufel soll sie holen, alle miteinander!

Ich werde ihre Beanstandungen nacharbeiten, aber wenn ich dann nicht gleich mein Geld bekomme, können sie was erleben! Vater war kein besonnener Geschäftsmann. Er zerstritt sich mit seinen Auftraggebern, setzte sich zwischen alle Stühle. Es war gefährlich, ihm Unfähigkeit und Unwissenheit bei seiner Arbeit zu unterstellen. Er schrie sofort jeden an, der ihm in die Quere kam, rauchte eine Zigarette nach der anderen.

Wenn er sein Geld vier Wochen nach der Lieferung immer noch nicht bekommen hatte, bereitete er sich auf den Gang zum Auftraggeber vor. Morgens war er merkwürdig still, rasierte sich sorgfältig, zog ein frisches Hemd an, fuhr mit der Bürste über seine Halbschuhe, nahm sich vor, ruhig zu bleiben. Seine Erregung nur ungeschickt verbergend, ging er zum Planungsbüro, fragte, warum seine Rechnung immer noch nicht angewiesen sei. Er stand da, farblos, verbittert, abhängig, verdrossen.

Ja, mein lieber Herr, da müssen Sie sich schon noch ein bißchen gedulden bis zur endgültigen Abrechnung, lächelte der korrektgekleidete Herr im weißen Hemd. Und außerdem ziehen wir für eventuell auftretende Spätschäden eine Sicherheitsquote von zwanzig Prozent an der Endsumme ab.

Das war zuviel. Er konnte sich nicht länger beherrschen. Seine Schulden gingen ihm durch den Kopf, als er die schöne, wortreiche Erklärung anhören mußte. Er entgleiste. Ich habe meine Arbeit ordnungsgemäß geschafft. Jetzt will ich sofort mein Geld, schrie er. Er schlug mit der Hand auf den Schreibtisch, riß die Augen auf. Alle Angestellten im Büro wären am liebsten unter die Tische geflüchtet. Ich gehe nicht eher zur Tür hinaus, als bis ich mein Geld habe.

Mitleidig grinsten seine Auftraggeber über diesen jähzornigen Schlosser, gaben ihm einen Scheck über einen geringen Betrag, einen kleinen Teil der ihm zustehenden Summe, entschuldigten sich mit einem Vorwand und ließen Vater stehen.

Mit grimmiger Miene verließ er das Büro. Innerlich wurmte es ihn, daß er sich wieder nicht hatte zusammennehmen können. Er ging wie ein Hund, dem man einen Eimer Wasser nachgeschüttet hatte, zur Werkstatt. Dort störte ihn die Mücke an der Wand. Der geringste Anlaß war ihm recht, seinem Ärger Luft zu machen.

Mein Bruder kam pünktlich zum Mittagessen und berichtete, was vorgefallen war. Mutter begann besonnen zu dämpfen, zu glätten, Stimmungen zu korrigieren. Sie erfuhr nie direkt von Vaters jähzornigen Ausbrüchen. Aber sie ahnte sie.

Mutter bemühte sich verzweifelt, das Geschäft über Wasser zu halten. Verhandelte auf Banken und Ämtern. Sah sie an Baugruben eine Tafel, auf der ein Neubau angekündigt wurde, oder erfuhr sie zufällig von einem Projekt, ging sie selbst zu den Leuten und verhandelte über die Schlosserarbeiten.

Vater überließ es ihr immer häufiger, Aufträge zu beschaffen. Er hatte kein Jota kaufmännisches Geschick. Trotzdem ärgerte es ihn, daß seine Frau bei den Kunden mehr Anklang fand, daß die Geschäftsleute immer öfter sagten, schicken Sie uns Ihre Frau.

Kam der Freitag an den Himmel, herrschte schon früh gespannte Beklommenheit. Freitagabend war Zahltag. Gesellen und Lehrlinge warteten auf ihre gefüllten Lohntüten, Mutter auf das Haushaltsgeld für die kommende Woche. Aber das Geld für den Zahltag, woher sollte man es diesmal wieder nehmen?

Wenn bis zum Mittag kein Scheck mit der Post gekommen, keine Überweisung bei der Bank eingegangen war, mußten kleine Rechnungen für Privatleute geschrieben werden. Vater kam eine Stunde früher als sonst heim, setzte sich an den Küchentisch, legte sein Notizbuch vor sich und schrieb Rechnungen für reparierte Hoftüren, Teppichstangen oder Abdeckplatten. Mutter tippte sie schnell, steckte sie in die Tasche und ging von Kunde zu Kunde, bis sie das Geld für den Zahltag zusammengetrommelt hatte. Manchmal, wenn ich Urlaub oder einen freien Tag hatte, schickte sie mich mit dem Fahrrad los, Rechnungen kassieren. Häufig mußte Mutter ohne Haushaltsgeld oder mit einem Teil davon zufrieden sein.

Heirate nie einen Handwerker! Suche dir einen Beamten, sonst geht es dir wie mir, warnte mich Mutter, wenn sie von ihrem beschwerlichen Freitagsgang zurückkam. Auch der Gerichtsvollzieher kannte unsere Adresse. Aber Mutter hatte alle Quittungen zum Beweis, daß sie ihre Einrichtung schon vor der Ehe angeschafft hatte, aufgehoben. Der Beitreiber mußte unverrichteter Dinge wieder abziehen.

1952 kaufte sich Vater einen Lieferwagen Marke Goliath, verglichen mit dem Namen ein winziges Wägelchen, das schon kurz nach der Anschaffung nicht mehr richtig funktionierte. Die Handbremse zog nie, der Gang ließ sich nur mit Zwischengas einlegen. Schon von weitem hörte man, wenn Vater den Berg heraufkam, an der Kurve in die Straße einbog. Der Motor heulte beim Herunterschalten, jedermann wußte über seine Ankunft Bescheid.

Er kam zum Mittagessen, schlang hastig die Mahlzeit hinunter. Was gibt es Neues? fragte er mit vollem Mund. Mutter unterrichtete ihn kurz über Wichtiges bei der täglichen Post. Ich haue mich noch fünf Minuten aufs Ohr, sagte er, lag schon auf dem Küchensofa und rollte sich zusammen. Die Haut oder helle Unterwäsche ließen winzige Löcher sichtbar werden, die herabfallende Funken in Vaters Hosen und Socken eingebrannt hatten. Er roch nach Eisen, nach Schmiedefeuer, nach Mennige. Abgewischter Rost hing an den Bündchen seiner karierten Hemden.

Kaum war er eingeschlafen, schüttelten Krämpfe seinen Körper. Die Anfälle von früher hatten sich wieder eingestellt. Die Augenlider bewegten sich, die Augäpfel darunter zuckten. Er versuchte die Augen aufzuschlagen, man sah die verdrehten Augäpfel. Sein Gesicht verzerrte sich. Die Lippen formten stimmlos Worte. Arme und Beine zappelten. Wir sprangen gleichzeitig auf, nahmen Vaters Hand, zogen ihn am Arm und riefen ihn. Rüttelten, damit er wieder zu sich kam.

Matt und abgeschlafft erwachte er, stöhnte, wälzte sich, blieb liegen. Sein Schlaf war voll Angst. Er schien ständig auf der Flucht zu sein. Seine Beine waren in Bewegung, als laufe er im Traum seinen Verfolgern davon.

Er begann, sich zu vernachlässigen. Manchmal rasierte er sich die ganze Woche nicht. Das wäre früher undenkbar gewesen. Ich sah, wie bedrückt er wurde, wie seine Energie nachließ. In der kalten Jahreszeit, wenn wir morgens zusammen das Haus verließen, bot er mir an, mit ihm zu fahren. Er hob mein Fahrrad auf die Ladefläche seines Lieferwagens. Ich schob das Auto an, lief hundert Meter hinterher und stieg ein. Zum Glück wohnten wir auf dem Berg. Die Phase der Bauschlosserarbeiten ging zu Ende. Zu viele Meister hatten sich nach dem Krieg selbständig gemacht. Die Arbeiten wurden unter allen verteilt. Handwerker mußten knapp kalkulieren. Vater meinte, das sei nur noch das Geld gewechselt. Die Innenstadt war wieder aufgebaut, er mußte seinen tüchtigen Meister entlassen.

Wieder mal kein Pfund Arbeit aufzutreiben, knerwelte* er verbittert. Niedergeschlagen und zerknirscht lief er auf und ab, vergrub die Hände bis zum Grund in den Hosentaschen, zog den Kopf zwischen die Schultern, grübelte, setzte seinen Weg von einer Tür zur anderen fort. Seine Lippen bewegten sich, niemand konnte verstehen, was er vor sich hinbrummte, laut simulierte. Er riß das Wams vom Haken, griff nach der schwarzen, flachen Mütze und verschwand. Keiner wußte, was das zu bedeuten hatte und wohin er nun wollte.

---

* in den Bart brummeln

Am Abend kam er nach Hause, ließ sich auf die Eckbank fallen, kramte Feinschnitt und Zigarettenpapier aus der Tasche, legte etwas von dem Tabak auf das hauchdünne Stückchen Papier, leckte mit der Zungenspitze an der Kante entlang, schloß die oval gewordene Zigarette, steckte sie zwischen die Lippen, zündete sie an. Während er den Rauch durch die Lunge zog und hörbar ausstieß, kniff er die Augen zusammen und platzte mit seiner Neuigkeit heraus.

Ich gehe wieder auf Montage! Eine auswärtige Firma gibt mir Arbeit als Subunternehmer. Das ist etwas ganz Neues. Es bedeutet, fuhr er fort, ich montiere eine Halle in eigener Regie. Die Firma stellt das Material, ich mache die Arbeit. Kleinere Sache, die den Brückenbau nur aufhält. Den ersten Auftrag habe ich schon in der Tasche. Eine Hallenkonstruktion, Brückenbauerarbeit!

Na, Gott sei Dank, das ist doch wieder etwas. Er war Feuer und Flamme. In seiner Verzweiflung, das Geschäft könnte zugrunde gehen, hatte er sich um diese Arbeit beworben. Nun freute er sich, daß er seinen Sohn in das Monteurleben einweihen konnte. Und darum aufgeschaut, ein neu Gerüst gebaut ... Inzwischen war es zu einer fixen Idee geworden.

Im stillen hatte er sich schon überlegt, wie er ohne großen technischen und finanziellen Aufwand einen Behelfskran installieren werde. Vom Brückenbau hatte er noch verschiedene Tricks auf Lager und war überzeugt, daß er die Halle ohne große Schwierigkeiten montieren könnte.

Sechsundvierzig Jahre alt, wollte er wieder die Brückenbauerschuhe anziehen. Mutter versuchte, ihn davon abzuhalten. Es ist doch viel zu gefährlich, in deinem Alter noch einmal damit anzufangen. Du bist schon viel zu lange aus der Übung! Denk doch an dein schlimmes Bein. Es ist immer noch nicht zugeheilt. Die Wunde bricht erneut auf, wenn du auf Montage gehst. Und wenn du runterfällst und alle Knochen brichst, stehe ich da mit drei Kindern.

Er ließ sich durch nichts abbringen. Gab sich gelassen, zuversichtlich, spielte mit flapsigen Redensarten die Gefahr herunter, schlug die ängstlichen Ratschläge in den Wind.

Morgens, bevor er wegfuhr, spielte er den jugendlichen Monteur, stellte sich auf die Zehenspitzen, wippte mit dem Oberkörper nach vorn, federte leicht in den Knien, versuchte mit geschmeidigen Bewegungen die Biegsamkeit seiner Gelenke vorzuführen. Der Lastwagen der Spedition fuhr vor, lud die große Werkzeugkiste auf. Vater setzte seine Mütze auf. Wird schon nicht so schlimm werden, sagte er lachend beim Hinausgehen. Ein bißchen Mutprobe war es wohl auch.

Man muß nur richtig wollen ...

Da fällt mir ein, wandte er sich im letzten Moment, bevor er in das Auto einstieg, an seine Frau, ich habe ja keine Uhr. Gib mir die Taschenuhr von deiner Mutter, damit ich wenigstens meinen Leuten sagen kann, wann es Feierabend ist.

Mutter erschrak. Die alte zierliche Uhr, man konnte sie mit einer Kette um den Hals tragen. Sie war eine Erinnerung an die verstorbene Großmutter.

Du willst die Uhr haben, fragte sie zögernd, als habe sie ihn nicht verstanden.

Mach keine Fisimatenten, gib mir die Uhr! Ich bringe sie ja wieder.

Mutter ging ins Haus, holte die Taschenuhr mit dem ziselierten Sprungdeckel samt Kette und gab sie ihm schweren Herzens. Paß gut auf sie auf, rief Mutter, als er die Tür der Fahrerkabine zuschlug und das Auto anfuhr.

Er stellte wieder den Standenbaum* auf. Ein Loch wurde ausgehoben, ein zehn Meter langer Baumstamm hineingestellt, an Tauen befestigt, Rollen und Seile am oberen Ende festgemacht.

Taub vor Müdigkeit kam er mit seinen Mitarbeitern Freitag abend am Bahnhof an. Die ganze Woche hatte er wieder oben auf Längspfetten** und Querbindern gestanden, war über schmale Eisenträger balanciert, den Boden unter sich lassend. Gesellen und Lehrlinge blieben auf der Erde, konnten ihm in sechs Meter Höhe nicht helfen. Sie banden die Eisenteile am Seil fest, zogen sie hoch, bugsierten sie in die vorgesehene Lage. Aber oben mußte er allein montieren, den anderen zitterten die Knie. Es half nichts, wenn Vater sagte, beißt die Zähne zusammen! Stellt euch nicht so an. Er war der einzige seiner Mannschaft, dem es nichts ausmachte, in dieser Höhe aufrecht über weite Entfernungen zu gehen,

* Behelfskran
** Stahlträger

konnte nicht verstehen, daß seine Mitarbeiter nicht imstande waren, dies nachzumachen.

Vater arbeitete schnell. Er mußte sich beeilen, damit er mit den Vorgabezeiten hinkam. Abends hatte er noch eine Stunde drangehängt, damit er den Termin zur Fertigstellung einhalten konnte.

Am Bahnhof machte er sich auf den Heimweg, müde, kaputt, ausgelaugt. Verärgert darüber, daß es mit der Arbeit nicht so lief, wie er sich das vorgestellt hatte. Zweifel kamen ihm, ob es richtig gewesen war, sich um die Montagearbeiten zu bewerben. Verwirrt und beeindruckt von den hohen Turmdrehkränen mit langen Auslegern, die sich selbst montierten, trottete er die Barbarossastraße entlang, kam am Stahlwerk vorbei, überquerte die Altenwoogstraße, übersah den Grünen Block und kam zum Franzosenstein. Er wollte sich ein bißchen ausruhen, bevor er in die endlose Friedenstraße einbog.

Kaum saß er, vorgebeugt, das Gesicht in beide Hände vergraben, schlief er schon. Spät in der Nacht kam er zu Hause an. Mutter hatte mit dem Essen gewartet. Gleich darauf ging es los: Hast du die Uhr mitgebracht? Natürlich habe ich die Uhr. Vater griff nach der Uhrenkette. Nichts. Er kontrollierte sämtliche Taschen seiner Hose, fingerte in den Jackentaschen, zuerst außen, dann innen. Er legte alles, was er darin fand, auf den Tisch. Nichts!

Ich habe es ja gewußt! Die ganze Zeit über habe ich es geahnt. Dir kann man doch keine Uhr anvertrauen. Wieviel Armbanduhren habe ich dir schon geschenkt! Alle hast du leichtfertig zerschlagen, nur weil du nicht aufpaßt. Und nun die Uhr meiner Mutter! Hätte ich doch nein gesagt! Hätte ich sie dir doch nicht gegeben. Du weißt nicht, was mir die Uhr bedeutet. Die schöne alte Uhr. Alle Kriege hat sie überstanden, und du verlierst sie.

Vater fuhr von nun an ohne Uhr auf Montage. Er mußte sich nach der Sonne richten. Oder nach den Fabriksirenen, falls sie das monotone Hämmern, das Zischen des Schweißapparates und das Heulen des Windes übertönten. Er konnte sich seine Zeit nicht mehr einteilen, hielt es auch nicht mehr für nötig. Er wußte, daß er die vorgegebene Zeit, die man mit ihm abrechnete, bereits überschritten hatte.

Das wollen wir doch mal sehen, ob so ein alter Brückenbauer wie ich diese einfache Halle nicht hinbringt! machte er
sich Mut und rieb sich die Hände.

Am nächsten Montag nahm er Löwen-Lui und Bären-
Kopp mit auf Montage. Er kannte die beiden krummbein-
igen, bucklig geschafften Rauhbauze aus seiner Brückenbau-
erzeit. Sie waren Invaliden, aber immerhin schwindelfrei.
Von ihnen versprach er sich enorme Unterstützung. Samstags abends am Stammtisch hatten sie die Sache perfekt gemacht.

Das wäre doch gelacht, sagten sie, wenn wir das bißchen
Halle nicht auf die Beine brächten! Da haben wir schon ganz
andere Sachen hingekriegt. So schworen sie sich ein. Wir
kloppen drauf, was das Zeug hält! Den jungen Angsthasen
werden wir die Angst schon austreiben. Und überhaupt die
Jungen! Die haben doch keine Ahnung! Keinen blassen
Dunst haben die, was den Stahlbau angeht. Da müssen Männer her!

Darin waren sich Vater, Löwen-Lui und Bären-Kopp ei-
nig. Aber die beiden Kumpels, so tüchtig sie früher gewesen
sein mochten, waren inzwischen unbeholfene, schwerfällige
alte Männer. Sie hatten nur noch Kraft für die lauten Brük-
kenbauerkommandos und die üblichen Sprüche. Machten
ausgiebig Brotzeit, schnitten Brot und Speck in Stücke,
spießten sie mit ihren Taschenmessern auf, schoben eins nach
dem andern hinter die Zähne, kauten und erzählten gleichzeitig; die Bierflasche stand in Reichweite.

Euch werde ich Feuer unter den Arsch machen, schrie Vater. Lahmärsche! Es kochte in ihm. Aber die Kumpels beein-
druckte das wenig.

Vater wollte doch seinem Sohn das zünftige Leben auf
Montage vorführen. Dies war die beste Gelegenheit dazu,
und er setzte voraus, daß sein Sohn genau so begeistert sein
werde wie er. Aber diesmal kamen er und seine Mitarbeiter
nicht zustreich. Sie hoben, zogen, klopften, schweißten,
hämmerten, schufteten und fluchten dazu, wochenlang. Die
Halle geriet schiefer und schiefer. Ein Bauunternehmer er-
stellte im Gelände daneben die gleiche Halle, beorderte einen
Autokran an Ort und Stelle, das Hallengerüst war in wenigen
Tagen montiert. Sie hatten noch die Träger am Seil hängen, da

stand die Halle daneben schon fix und fertig. Vater schob die Schuld am Mißlingen auf die Pläne; die Konstruktion sei schlecht dargestellt, die Maße in englischen Einheiten angegeben. Er verließ die Baustelle, konnte nicht mitansehen, daß die Halle unter seinem Kommando total mißlang. Erschöpft ging er in die Wirtschaft, um sich zu beruhigen. Er sah sich blamiert, vor seinen Auftraggebern, vor seinen alten Kumpels und seinen Mitarbeitern; vor allem aber, und das war das Schlimmste, vor seinem Sohn und seiner Familie. Das finanzielle Fiasko, das die Sache nach sich zog, war noch nicht zu übersehen. Die Ausgaben waren hoch.

Vater mußte einsehen, daß seine Methoden überholt und veraltet waren. Er war von den neuen Maschinen, die Körperkraft ersetzten, von der rationellen Arbeitsweise und der für ihn neuen Geschwindigkeit irritiert, hatte von da an Angst, nicht mehr mithalten zu können. Aber er bestritt es. Er bestritt, daß er mit seiner Weisheit, mit seiner Kraft am Ende war. Die Familie mußte seine Niederlage ausbaden. Und immer, wenn der vierschrötige Mann betrunken war, verlor er den Verstand vor Kummer und Wut.

Wenn er am nächsten Morgen aufwachte und sich den Augen der übrigen Familie stellen mußte, schämte er sich. Mutter warf ihm vor, sich grundlos betrunken zu haben. Ich hatte Mitleid mit Vater, so lange, bis er sich wieder betrank.

Es wurde Winter. Vater fror immer mehr, hing sich, wenn er im Haus herumging, dicke Wolldecken um die Schulter. An Weihnachten stellte er einen Luftheizapparat, der dazu geeignet war, Hallen oder Säle zu beheizen, in unsere Wohnstube. Vater machte Feuer, schürte mit Holz und Kohle an, wollte es richtig gemütlich haben; stopfte alles in den Ofen, was er im Keller an Brennbarem fand, schaltete den Ventilator des Apparates ein, der die Hitze ins Haus hineinwirbelte. Er setzte sich davor, starrte unablässig in die Flammen. Vater wandte sich dem Feuer zu, als wollte er der ganzen Welt den Rücken kehren. Das Ofenrohr glühte längst, die Nadeln rieselten vom Tannenbaum, die Kerzen hingen umgebogen, die Köpfe nach unten. Das Haus war von stickiger Hitze erfüllt, kein Fenster durfte geöffnet werden. Er konnte es nicht warm genug haben und lachte mit dem Feuer, das ihm die ersehnte Hitze spendete.

Jedem, der ihn besuchte, führte er seinen herrlichen Ofen mit der großen Feuerung vor, glücklich die Vorzüge preisend, auf die wunderbare Wärme hinweisend, die ihm entströmte. Endlich fror er nicht mehr.

Es waren nur wenige Tage: Das Herstellen von Luftheizapparaten und Rippenrohren wurde ihm untersagt. Er besaß keine Lizenz zum Nachbauen.

13

Mit dem breiten, etwas o-beinigen Gang von Leuten, die viel stehen, kam er in seiner dreiviertellangen Joppe, die schwarze Mütze auf dem Kopf, aus der Einfahrt seiner Werkstatt. Man hatte das Gefühl, daß er rechts und links mit den Schultern das Mauerwerk berührte, so wie er die Hände in die schräg eingeschnittenen Taschen seiner Jacke gesteckt, die Ellenbogen abgewickelt hatte. Er trug jetzt mit Vorliebe Breecheshosen und Stiefel. Wenn er ging, schrappten die Eisen an den Absätzen über den Zementboden, daß man den Eindruck haben konnte, ein altgedienter Reitergeneral sei im Anmarsch. Protzig und stark warf er sich in seinen Kleidern in Positur. Manchmal, wenn ihm im Spiegel sein abgemagertes Gesicht auffiel, die immer deutlicher hervortretenden Wangenknochen, die eingefallenen, bald grau, bald gelb, im Sonnenlicht sogar grün schimmernden Augen, sagte er, ich stamme von den Hunnen ab, als wollte er damit seine unverwüstliche Konstitution, seine robuste Gesundheit unterstreichen.

Sie sollen sich nur nicht zu früh freuen, drohte er widerborstig seinen Konkurrenten, ich habe schon ganz andere das Fürchten gelehrt. Hermann konnte seine Niederlage nicht zugeben. Jetzt noch nicht! Verzweifelt bäumte er sich auf; wollte alle Lügen strafen, die sich nach seinem Scheitern die Hände rieben.

Mit dem Kopf durch die Wand wollen oder glatte Wände hoch, das wird dir nicht gelingen, redete seine Frau auf ihn ein. Du mußt dich endlich umstellen.

Zweimal war Hermann schon mit seiner Werkstatt umgezogen. Du mußt eine eigene Werkstatt bauen. Unten im Erdgeschoß die Schlosserei, darüber die Wohnung; in den Hausschuhen könntest du hinunterspringen, zauberte sie ein Bild, das ihm imponieren mußte. Großmutters Ablehnung, ihm Geld für einen eigenen Betrieb zu geben, hatte zusätzlich seinen Ehrgeiz angestachelt. Wenn du schon so ein tüchtiger Handwerker sein willst, schaffst du es auch allein, hatte sie ihn herausgefordert und mißtrauisch ihr Geld zurückbehalten.

Nun vertraute er auf den Gedanken seiner Frau: Wer etwas besitzt, ist jemand. Endlich ließ er sich darauf ein; glaubte, wenn er ein Haus mit einer Werkstatt hinstellt, steigt er im Ansehen seiner Auftraggeber und in der Achtung seiner Familie. Er wollte alle widerlegen, die ihm vorwarfen, versagt zu haben. Noch einmal mußte er es ihnen zeigen und lebte mehr denn je von seinen Schlagwörtern.

Ich habe immer alles ein bißchen gezwungen!

Sein Gewohnheitssatz, dessen Bedeutung ich erst viel später begriff, bedeutete, daß er ganz und gar hinter einer Sache stand; daß er sich mit seinem Willen und Denkvermögen für eine Aufgabe einsetzte. Der Gedanke ans Scheitern war ausgeschlossen.

In den letzten Jahren war ich nicht mehr so sicher, ob er von seinen Vorhaben überzeugt gewesen war. Wie sollte er sonst zu diesem Ausspruch gekommen sein. Vielleicht wollte er sagen, er habe sich bezwungen. Darin war er geübt. Er hatte das Hilflose und Schwerfällige in sich überwunden, um seine Ziele zu erreichen. Seine hervorstechendste Eigenschaft war, sich selbst zu bezwingen, eine Arbeit zu vollenden, etwas für ihn Außergewöhnliches zu erreichen. Hermann lebte über seine Kraft, wie andere über ihre Verhältnisse leben.

Er wollte sich nicht mehr blamieren. Seine Frau ergriff die Initiative und suchte in der Stadt nach einem geeigneten Grundstück. Bekannte hatte sie genug, die sie unterstützten. Es machte ihr Freude, als Geschäftsfrau aufzutreten, die einen Bauplatz für ein größeres Objekt sucht.

Else war begeistert. Sie spürte, daß seine Kraft schwand. Baute in Gedanken schon die neue Wohnung mit großer Veranda, einem Eßzimmer und einem Büro. Eines Tages erzählte Hermann den Traum von der eigenen Werkstatt einem Architekten. Ehe er ihn vor dem Baumenschen vollkommen ausgebreitet hatte, war der Plan schon gemacht, war Hermann überzeugt, auf Kredit bauen und eine eigene Schlosserei einrichten zu können.

Nun mußte er um jeden Auftrag kämpfen, sich erst recht einsetzen, die Kalkulationen dreimal durchrechnen, um wenigstens das Geld für den Bauplatz aufzubringen. Das Zetern, Zerren und Zanken um Aufträge und Geld setzte erst richtig ein.

Sonntags, wenn er seine Angebote ausrechnete, war die Zigarettenschachtel vor ihm auf dem Tisch im Nu leergeraucht. Auf einem kleinen Stück Papier addierte er seine Außenstände und verglich die Summe mit der in seinem Kopf. Der Zettel war mehrfach zusammengefaltet, ganz schmutzig und abgegriffen, einige Beträge darauf waren durchgestrichen, neue dazugeschrieben. Er trug ihn bei der Arbeit stets bei sich.

Hermann haßte es, heimzukommen, ausgefragt zu werden, von seinen Erfolgen berichten zu müssen. Von seinen Niederlagen, den ergebnislosen Bemühungen und seinen andauernden Sorgen wollte niemand etwas wissen. Am Stammtisch ließen sie ihn in Ruhe, oder die Kumpane lauschten seinen Geschichten, wenn er gut aufgelegt war und sie freiwillig erzählte.

Seine Frau redete jeden Tag auf ihn ein: Du mußt dich am Riemen reißen! Komm nach Feierabend gleich nach Hause, erledige deine schriftlichen Arbeiten und sei ein guter Familienvater. Aber je mehr sie versuchte, ihn einzuschränken, je mehr sie an ihm herummäkelte, desto mehr machte er sich Luft.

Ich bin doch keine Maschine. Jeden Tag die gleiche Schufterei, bei der am Ende nichts herauskommt. Am liebsten möchte ich den ganzen Bettel hinwerfen. Diese Hetzjagd nach Aufträgen! Kniefälle erwarten sie von mir. Jedem soll ich die Füße küssen. Zu guter Letzt schaffe ich doch nur für die Banken. Das Geschäft machte ihn mutlos. Nun machte ihn ein Arbeitstag so müde wie früher eine ganze Woche.

Er freute sich auf alle, die ihm beim Dämmerschoppen Gesellschaft leisteten und ihn auf andere Gedanken brachten. Er hockte da, in sich zusammengesunken, wartete auf seine Kumpane. Saß vor dem hölzernen Wirtshaustisch, starrte auf die gemaserte Platte. Zwei Stubenfliegen tauchten ihre Fühler in einen Weintropfen. Zeit verging, bis einer nach dem anderen kam. Die Wirtin stellte jedem ein gefülltes Glas hin. Sie brauchte ihre Stammgäste nicht mehr zu fragen, was sie tranken, sie wußte es.

Hast du heute die Zeitung gelesen? begann einer das Gespräch, die Mannheimer Radrenner gesehen? Mordskerle! Die anderen murmelten beifällig.

Erinnerst du dich noch an die Radrennen auf der Eselsfürth und an die Steherrennen, die dort ausgetragen wurden? Motorrad vorne weg, der Radrenner mit dem Vorderrad dicht an der Rolle. Oder an den Sportplatz der Rasenspieler auf der Wormser Höhe, wo der lange Richard mit mir in einer Mannschaft gespielt hat? Ja, antwortete Hermann, sein zugeschnürter Hals lockerte sich. Langsam verzogen sich seine Lippen, beinahe schon ein bißchen beleidigt, daß man ihn verdächtigen könnte, das Gedächtnis verloren zu haben.

Damals, bei der fürchterlichen Grippeepidemie nach dem Ersten Weltkrieg, bin ich doch beinahe draufgegangen. Wenn ich an den Kohldampf denke, den wir da geschoben haben.

Ihre Gedanken liefen nebeneinander her, holten einander ein. Wer kann sich noch erinnern, wie der Zeppelin über der Stadt kreiste? fragte Hermann.

Und wie der Hitler im offenen Auto durch die Stadt fuhr? setzte ein anderer das Gespräch fort. Und dann der Krieg und der ganze Schlammassel.

Hört auf! Hört bloß auf damit, rief ein anderer, davon will ich nichts mehr hören, und klopfte auf seine Beinprothese, davon habe ich die Nase voll.

Während der letzten Sätze waren ihre Stimmen lauter geworden. Sie redeten um die Wette. Doch plötzlich brach das Gespräch ab. Es wurde still. Jeder dachte seine Geschichte für sich allein zu Ende. In ihren Gedanken kehrten sie zurück in die Zeit, als sie noch aktiv und wichtig waren. In der Vergangenheit, da kannten sie sich aus. Wenn ein Junger dazukam, erstaunt zuhörte und keine Ahnung von dem hatte, worüber die Alten redeten, waren sie stolz, daß sie das alles selbst erlebt und überstanden hatten. Die Männer waren noch nicht alt, noch lange nicht sechzig, aber sie fühlten sich so.

Daß er am Abend in die Wirtschaft ging, empfand sie an sich schon als rücksichtslos und unerträglich; seine Geschichten unmöglich, Wirtshausgerede. Verhielt er sich nach Mutters Ansicht vernünftig, kam nach Hause, nutzte sie die Gelegenheit und schwärmte: So könnte es bei uns doch immer sein!

Schon pries sie andere Männer, die ihren Idealen entsprachen, und stellte sie ihm als Vorbild hin. Der Nachbar rauchte nicht, trank nicht, war ein vorzüglicher Ehemann, ein beispielgebender Vater, kam pünktlich von der Arbeit, lieferte seinen Lohn bis auf den letzten Pfennig ab.

Da brach die Lawine los! Diese hohläugigen Stubenhocker! Mit diesen Speichelleckern und Lahmärschen laß ich mich doch nicht vergleichen. Griffelspitzer, sagte er abfällig.

Else schloß rasch die Fenster. Was denken denn die Leute? Sie war darauf aus, das Gesicht zu wahren, nach außen stets einen guten Eindruck zu machen. Hatte die Weisheit von der großen Schürze, die alles zudeckt, zu ihrer eigenen gemacht. Weil sich Hermann nicht beherrschen konnte, auch im Hof und im Garten hemmungslos herumschrie, immer alles dann sagte, wann es ihm paßte, glaubte sie, sich schämen zu müssen.

Leute, die alle Vorschriften und Richtlinien penibel einhielten, waren ihm zuwider. Die haben noch nicht einmal das Herz, einen lauten Furz zu lassen, schrie er, wenn sie ihn bat, leise zu reden. Diese Bürohengste! Spitzfindige Schreiberlinge! Advokaten, drehen einem das Wort im Maul herum.

In seinen Augen waren diese Leute Leisetreter, Untersichgucker, vor allem aber Versager. Sie schätzten ihn gering, übersahen ihn, grinsten, grüßten nicht, zogen nicht den Hut.

Else zeichnete immer häufiger das Bild eines Mannes mit solider Existenz, gediegen, ordentlich. Sie zählte die Familienväter aus der Verwandtschaft auf, von denen sie nur die Vorzüge kannte, verantwortungsbewußt, ruhig, abgeklärt.

Wenn nur dein Vater ein bißchen was von denen hätte, sagte sie, ginge es besser. Aber mit diesem Hitzkopf ist kein Staat zu machen!

Sie machte mich süchtig nach einem Vater, den man überall herzeigen konnte; von dem der Lehrherr, wenn er ihn besuchte, achtungsvoll gesprochen hätte. Er durfte schon zuvor keinen unserer Lehrer in der Schule aufsuchen, weil wir Angst hatten, er könnte sich nicht beherrschen und finge Streit mit ihnen an.

Wenn wir Konfirmation oder Hochzeit feierten, hielten wir

ihn an, sich nicht zu betrinken, weil er sich nicht den einge-
schliffenen Regeln unterwarf und jedem, der ihm nicht paßte,
die Meinung sagte. Männer, die nicht ab und zu über die
Stränge schlugen, waren nach seiner Ansicht keine richtigen
Männer.

Ich hatte Mitleid mit Vater, wenn er in einem seiner schweren Anfälle auf dem Sofa lag, ein zuckendes, japsendes Bündel, ohnmächtig und hilflos. Ich bedauerte ihn, daß ihm der
Mut fehlte, einen Arzt aufzusuchen; konnte nicht verstehen,
daß er zu feige war, zum Zahnarzt zu gehen.

Aber von Tag zu Tag litt ich mehr unter diesem cholerisch
schreienden Mann, dachte, daß ich allein einen solch toben-
den Menschen zum Vater hätte. Ich erzählte nie jemandem
auch nur ein Sterbenswörtchen über ihn. Im Stillen beneidete
ich Mädchen, die neben ihrem Vater durch die Stadt gingen,
den Kopf hoben und an ihm stolz in die Höhe schauten.
Glaubte, daß mir das größte Mißgeschick in der Person meines Vaters widerfahren sei. Begann den Kopf zu senken, die
Augen niederzuschlagen, wenn ich auf der Straße Bekannten
begegnete.

Ich vermißte immer mehr einen Menschen, mit dem man
reden konnte, der zuhörte und Verständnis hatte. Es fehlte
das Kontinuierliche, das, was man in alten Geschichten mit
Liebe und Güte bezeichnete.

Ich verwünschte alle Kneipen, die er besuchte. Sah ich sein
Auto vor der Tür stehen, ging ich hinein, stellte mich neben
seinen Stuhl, wartete, bis er bezahlte, aufstand und mitging.
Ich haßte die Wirte, die ihm Wein verkauften, ihm schönre-
deten, es ihm so gemütlich machten, daß er sich dort wohler
fühlte als zu Hause.

Manchmal fragte er auch barsch, was willst du? Mach, daß
du nach Hause kommst. Ich gehe nicht mit.

Dann wußte ich, es hatte keinen Sinn, auf ihn einzureden.
Je mehr ich ihn bedrängte, um so halsstarriger wurde er, blieb
aus Trotz noch länger als sonst bei seiner Gesellschaft sitzen.
Ich fühlte mich verantwortlich für alles, was Vater tat, was er
in seinem Zorn herausbrüllte. Das Schlimmste war für mich,
daß ein Mann wie mein Vater, vor dessen Ideen und Fleiß man
wirklich Respekt haben konnte, sich lächerlich machte.

14

Hermann erschrak vor seinen erwachsen werdenden Kindern, die sich nicht mehr alles gefallen ließen; die den Mund aufmachten und ihn zu kritisieren wagten.

Als Kinder fürchteten wir seine tobsüchtigen Ausbrüche und flüchteten aus der Küche. Später grinsten wir, waren still, hatten aber immer noch Angst. Danach hörten wir nur noch halb hin. Hermann wurde fuchsteufelswild, wenn er fühlte, daß wir ihn nicht ernst nahmen.

Was habe ich nicht alles für euch getan? Er rechnete mit uns ab. Das Schlimmste war für ihn, wenn sich jemand aus seiner Familie respektlos zeigte, von seinem Schreien nicht beeindruckt war. Ließ er mit sich reden, stellten wir ihn auf die Probe, prahlten mit unserem Wissen; wollten von ihm hören, was Nominativ, Akkusativ oder Dativ bedeuten, was es mit Aktiva oder Passiva auf sich habe, legten ihm algebraische Gleichungen zum Lösen vor.

Jetzt reicht es! schrie er. Ich habe mich mein Leben lang abgerackert. Macht ihr es doch, wenn ihr alles so gut wißt. Ich habe euch gezeigt, wie es geht. Habe euch vorgemacht, wie man arbeitet. Sein Gesicht wurde feuerrot. Jetzt habe ich die Schnauze gestrichen voll. Habe keine Lust mehr, jeden Tag den Buckel für euch hinzuhalten. Habe ich nicht lange genug den Dreck getreten? Jetzt seid ihr an der Reihe. Ich bin müde. Todsterbensmüde! Ich kann nicht mehr. Versteht ihr mich nicht? Zeigt ihr einmal, was ihr könnt!

Wir zuckten die Schultern, hielten es nicht für möglich, daß er sich aufgerieben hatte, daß er nun verbraucht war.

Kam er nach Hause und sah seine Familie beisammensitzen, hatte er Angst, sie könne gegen ihn zusammenhalten. Er fürchtete die Verschwörung von Mutter und Kindern. Er war mißtrauisch geworden. Was steckt ihr die Köpfe zusammen? Es ist vorbei! Verlaßt euch drauf, ich mache die Hacke raus. So sicher wie das Amen in der Kirche. Ihr könnt nur essen, euch anziehen, in einem Haus wohnen, weil ich dafür geschuftet habe. Was wollt ihr eigentlich noch?

Wir gaben uns keine Mühe, ihn zu verstehen.

Ich habe mich abgerackert. Von morgens bis in die Nacht hinein habe ich das Geld zusammengekloppt.

Er ließ sich auf einen Stuhl fallen. Bin ich jetzt nicht noch mehr Arbeiter als jemals zuvor?

Dann sackte er zusammen, schob den Teller, der vor ihm auf dem Tisch stand, mit einer Handbewegung weg, legte die Unterarme auf, stützte den Oberkörper. Er wollte klarmachen, daß es mit ihm zu Ende ging. Unterstützt mich wenigstens, so gut ihr könnt, wollte er sagen. Wieviel Energie er aufwandte, um uns klarzumachen, daß er am Ende war.

Er hatte aufgegeben, das Leben auf die Art und Weise, wie man es ihm in seiner Kindheit beigebracht hatte, bestehen zu wollen. Sein Frohsinn, seine Lust am Leben waren verschwunden, sein unbeugsamer Wille gebrochen. Die Hunde, seine Weggefährten, die ihm geholfen hatten, mit Kraft, Ausdauer und Gewandtheit alle Hindernisse, die sich ihm in den Weg gestellt hatten, zu überwinden, hatten ihn verlassen. Er hatte sein Märchen vergessen. Als ich ihn daran erinnerte, fiel ihm seine Geschichte nicht mehr ein. Er gab seine Ziele verloren. Die Hunde waren davongestoben, sie blieben verschwunden. Er sank in sich zusammen, ein Mensch, der sich vollkommen und konsequent ausgegeben hatte. Seine Gestalt verwandelte sich. Er ließ den Kopf hängen, seine Haare wurden grau. Vater gehörte nun zu den Schwachen, zu denen er niemals zählen wollte. Er glich einem ausgeglühten Eisenträger, über dem das Haus abgebrannt war.

Sein einziger Wunsch war es gewesen, anerkannt und gelobt zu werden. Hermann hatte gelernt, daß man sich beliebt machen mußte, und glaubte mit seinem enormen Fleiß und seinem ununterbrochenen Einsatz jedermanns Anerkennung sicher zu sein. Hatte nur funktioniert, immer nur seine Arbeit gesehen. Er war sein Leben lang auf der Suche nach Liebe gewesen und hatte sich eingebildet, daß er sich Liebe und Zuneigung durch Leistung verschaffen könnte. Nun fühlte er sich überfordert. Sein andauerndes Schaffen hatte ihn daran gehindert, ein ausgeglichenes Leben zu führen. Zu spät erkannte er, daß er mit seiner Vorstellung, andere zu überflügeln, nicht weitergekommen war; daß es ein Irrtum war, zu glauben, mit Gewalt, Schnelligkeit und einem Riesenquantum von Arbeit vom Stahlwerk wegzukommen. Er hatte es nie verlassen.

Sein Jähzorn hatte stets die Oberhand behalten. Hermann

explodierte, wann und wo ihm danach zu Mute war; er fuhr aus der Haut, tobte rücksichtslos; hoffte aber, irgendwann, wenn er es einmal geschafft hatte, würden ihn seine Frau und seine Kinder trotz allem lieben. Sie würden einsehen, daß die Härte notwendig war, und ihn verstehen.

Aber seine Familie lebte in der Erwartung, daß er etwas gutzumachen habe. Sein Sündenregister war lang; zu lang, um ihm vergeben zu können.

Hermann fand keinen Ausweg aus dieser festgefahrenen Situation; entdeckte, daß ihm niemand verzieh, gab sich fortan keine Mühe mehr, sich zu ändern. Es hatte keinen Wert für ihn, umzukehren, der Weg erschien ihm zu beschwerlich und ohne Ende.

Als seine Kollegen herausfanden, daß Hermann nicht mehr auf Baustellen und in der Werkstatt mitarbeitete, daß er seinem Sohn das Kommando überlassen hatte und am späten Nachmittag beim Dämmerschoppen sitzend in der Kneipe anzutreffen war, sagten sie, Hermann hat aufgesteckt.

Kaum jemand aus seiner Umgebung hatte Notiz davon genommen, daß er sich mit fünfzig Jahren einer komplizierten Operation hatte unterziehen müssen, daß er wochenlang in einem Krankensaal mit zwanzig Männern gelegen hatte und die Schnabeltasse mit Tee wichtig geworden war. Er behielt seine Krankheit für sich, wollte kein Mitleid, war es nicht gewohnt, Hilfe anzunehmen.

Danach konnte er nichts mehr heben, keinen Hammer halten, das Stehen fiel ihm schwer. Er brachte es nicht fertig, wie andere Invaliden im Haus herumzutappen, auf einer Bank in der Sonne zu sitzen oder seinen Enkeln Märchen zu erzählen. Das war ihm zu langweilig.

Zu Hause sterben die Leute, sagte er und ging. Jeden Tag machte er sich auf den Weg ins Gasthaus. Schaute sich nicht um beim Gehen. Hielt den Kopf gesenkt, als denke er nach. Im Lokal setzte er sich auf seinen Lieblingsplatz, mit dem Rücken zur Wand. Und wartete, bis einer erschien, dem er erzählen konnte. Er fühlte, daß seine Zeit knapp wurde.

Alle vierzehn Tage, samstags nach dem Fußballspiel, kam Karl in die Weinstube und besuchte ihn. Hermann behielt die ganze Zeit den Eingang im Auge. Wartete auf Karl. Wußte, daß er ganz bestimmt kommen würde.

Als sich der Vorhang bewegte, Karl zur Tür hereinkam, schien in Hermanns Gesicht ein Licht aufzugehen. Karl setzte sich neben ihn. Hermann berührte unauffällig den Bierfilz, auf den die Bedienung zwei kurze Striche gemacht hatte. Ihre Augen begegneten sich. Karl zahlte die Zeche und brachte Hermann nach Hause.

Hermann mußte von sich reden, sagte Karl. Jahrelang brauchte er Tag für Tag Leute um sich, Fremde, die ihm zuhörten, ihm die Geschichten von seinen Erfolgen glaubten.

Am Tag vor der zweiten Operation war er mir am nächsten. Ich besuchte ihn. Aber da hing schon die Leitung zum Urinbeutel über die Bettkante.

Wir sprachen miteinander, bevor er hinausgefahren wurde. Natürlich wirst du es schaffen. Du schaffst es ganz bestimmt, sagte ich.

Er ließ sich nicht täuschen.

Die Frau in der Gesellschaft

Band 3746

Band 3755

Band 3788

Fischer Taschenbuch Verlag

Die Frau in der Gesellschaft

Band 3785   Band 3719   Band 3757

Fischer Taschenbuch Verlag

Die Frau in der Gesellschaft

Sylvia Conradt
Kirsten Heckmann-Janz
»...du heiratest
ja doch!«
80 Jahre
Schulgeschichte von Frauen
Fischer
Die Frau in der Gesellschaft

Band 3761

Maria Frisé
Auskünfte
über das
Leben zu zweit
Fischer
Die Frau in der Gesellschaft

Band 3756

Christina Mei/Gudrun Reinke
Jenseits
von Mond und
Mitternacht
Frauen sprechen über Liebe
Fischer
Die Frau in der Gesellschaft

Band 3739

Ann Cornelisen
Frauen im Schatten
Leben in einem
süditalienischen Dorf
Band 3401

Gaby Franger
Wir haben es uns
anders vorgestellt
Türkische Frauen
in der Bundesrepublik
Band 3753

Marliese Fuhrmann
Zeit der Brennessel
Geschichte einer
Kindheit. Band 3777
Hexenringe
Dialog mit dem Vater
Band 3790

Imme de Haen
»Aber die Jüngste war
die Allerschönste«
Schwesternerfahrungen
und weibliche Rolle
Band 3744

Helga Häsing
Mutter hat
einen Freund
Alleinerziehende
Frauen berichten
Band 3742

Helena Klostermann
Alter als
Herausforderung
Frauen über
sechzig erzählen
Band 3751

Marianne Meinhold/
Andrea Kunsemüller
Von der Lust
am Älterwerden
Frauen nach der
midlife crisis
Band 3702

Jutta Menschik
Ein Stück von mir
Mütter erzählen
Band 3756

Irmhild Richter-Dridi
Frauenbefreiung in
einem islamischen
Land –
ein Widerspruch?
Das Beispiel Tunesien
Band 3717

Erika Schilling
Manchmal hasse
ich meine Mutter
Gespräche mit Frauen
Band 3749

Marianne Schmitt (Hg.)
Fliegende Hitze
Band 3703

Inge Stolten (Hg.)
Der Hunger
nach Erfahrung
Frauen nach 1945
Band 3740

Irmgard Weyrather
»Ich bin noch aus dem
vorigen Jahrhundert«
Frauenleben zwischen
Kaiserreich und
Wirtschaftswunder
Band 3763

Fischer Taschenbuch Verlag

fi 404 / 3